D1500814

CONTES ET LÉGENDES

DE FLANDRES

ET DE PICARDIE

Au

avec l'expression de mon estime
et de ma sympathie

Emile VANNEUFVILLE

COMPIEGNE le 11. 01. 2001

MARGUERITE LECAT
ÉRIC VANNEUFVILLE

Contes et légendes de Flandres et de Picardie

ÉDITIONS FRANCE-EMPIRE
13, rue Le Sueur, 75116 Paris

Vous intéresse-t-il d'être au courant des livres publiés
par l'éditeur de cet ouvrage ?
Envoyez simplement votre carte de visite aux

ÉDITIONS FRANCE-EMPIRE
Service « Vient de paraître »
13, rue Le Sueur, 75116 Paris

Et vous recevrez régulièrement, et sans engagement de votre part,
nos bulletins d'information qui présentent nos différentes collections
que vous trouverez chez votre libraire.

ISBN 2-7048-0777-9

IMPRIMÉ EN FRANCE

REMERCIEMENTS

Les auteurs tiennent à remercier celles et ceux qui ont contribué à la rédaction de cet ouvrage : Mme de Tourtier-Bonazzi, Messieurs Pierre Baudelicque, Dieudonné Copin, Loïc de Crauze, Jacques Guignet, Jean-Christophe Macquet et Jean-Olivier Signoret.

Les Flandres

Textes rassemblés par Éric Vanneufville

LA LÉGENDE DES TROIS VIERGES DE CAESTRE

Il était une fois, au VIIᵉ siècle, au temps du bon roi Dagobert et du brave saint Éloi, d'autres disent que ce fut plus tard, au temps du puissant Charlemagne, trois jeunes princesses anglaises répondant aux doux prénoms d'Édith, Aelfride et Sabina.

En ces temps reculés, les princesses anglaises étaient non seulement belles, sinon il n'y aurait pas d'histoire, mais aussi emplies de vertu, comme quoi tout change...

Or donc, jeunes, belles, riches et vertueuses, elles furent immanquablement courtisées par trois jeunes Anglais ; ceux-ci, déjà, manquaient à ce point d'éducation, je veux parler de la bonne, bien sûr, qu'ils prétendirent sérieusement consommer le morceau le plus tendre du mariage avant d'être passés devant le prêtre, ce à quoi, naturellement, se refusaient constamment nos trois petites Anglaises, au grand dam de nos trois petits cochons !

Ceux-ci cependant pressaient tant et tant, au sens figuré, nos trois vierges de succomber enfin qu'Édith, Aelfride et Sabina, lasses de résister vaillamment sur place, décidèrent un jour de partir en voyage, mettant ainsi la mer entre elles et leurs soupirants, pour ne se marier dans leur pays qu'à leur retour.

À cette époque, l'on franchissait très couramment la mer du Nord pour aborder au nord-ouest du pays franc, sur les côtes soit du golfe de l'Yser non loin de Dixmude, soit de celui de l'Aa non loin de Saint-Omer. Puis, l'on prenait la route d'Arras, de Paris, de Bourgogne, l'on descendait la Saône et à Marseille l'on s'embarquait pour Rome.

Or donc, tel fut le voyage qu'entreprirent nos trois vertueuses. Elles abordèrent près de Wormhout où elles passèrent leur première nuit à l'hospice pour pèlerins que tenaient les moines de l'abbaye locale. Le lendemain, elles prirent la route de Cassel, pensant ensuite rejoindre Caestre et Strazeele d'où la route obliquait franchement vers le sud, je veux dire vers Arras.

Hélas ! peu après Cassel, à l'entrée de Caestre, elles furent rejointes par leurs trois malhonnêtes soupirants qui, en bons Anglais qu'ils étaient, connaissaient très bien la route principale qui menait à Paris et à ses plaisirs.

Et là, là... il se passa... ce qui devait se passer et dont l'horreur est telle que, plus de mille ans après, je dois encore me forcer pour vous narrer les faits.

Donc, nos trois monstres réitérèrent leurs demandes incongrues aux trois vertueuses princesses, en les menaçant de mort si elles ne voulaient mie condescendre à leur céder... vous avez deviné ce dont il était question ! Bien entendu, elles refusèrent et, tenant cette fois leurs promesses, les trois jeunes Anglais trucidèrent sur-le-champ leurs trois compatriotes, sans se soucier du caractère d'autant plus délictuel de leurs actes qu'ils se produisaient hors de leur pays, je veux dire dans notre bonne Flandre encore peu habituée à de tels débordements.

Ceci est cependant une belle histoire et, pour être considérée comme telle par les générations futures qu'elle est censée édifier, il importait qu'elle se terminât bien. Or donc, à quelque distance de là, au village-carrefour appelé pour cette raison Strazeele, demeurait un chevalier, pris de cécité et fréquentant assidûment l'église. Noble, aveugle et pratiquant : voilà trois caractéristiques qui en ce temps-là vous prédisposaient naturellement à bénéficier d'une vision céleste.

Et ce fut ce qui arriva : la Vierge Marie lui apparut et lui enjoignit d'aller sur la route de Caestre en se laissant guider par les voix célestes, en l'occurrence celles des petits oiseaux qui avaient reçu du ciel délégation spéciale à cet effet. Tout se passa comme prévu : à l'entrée du village, notre brave chevalier trébucha sur les corps des trois jeunes vierges qui baignaient dans une mare de sang, enduisit ses paupières dudit sang et... recouvra la vue !

Alors, il éleva en ces lieux une chapelle où il fit ensevelir les corps des trois vertueuses. Aujourd'hui encore, s'élève la chapelle des trois vierges au même emplacement à Caestre ; bien sûr, ce ne sont plus les murs d'origine mais vous y trouverez deux vitraux et quelques tableaux qui vous raconteront, en peinture et en flamand, l'histoire que je viens de vous narrer. Peut-être certains détails diffèrent-ils de la présente version, mais celle-ci est la plus savoureuse et, après tout, si dans ce bon pays de Flandre on ne peut toujours pas consommer avant le mariage, au moins n'est-il pas interdit d'en rire à notre façon, *godverdom* !

Éric VANNEUFVILLE

LE REUZE

Au point du jour, quand il eut jeté son premier regard sur la mer immense, dont les vagues venaient mourir au pied de la tour, l'homme de garde resta un moment comme pétrifié, puis il bondit sur sa trompe...

Mais il faut commencer par vous dire que du vivant du joyeux sire qui mettait volontiers sa culotte à l'envers, il y avait sur les côtes de Flandre une ville aussi fameuse par son antique origine que renommée pour la richesse de ses habitants et l'excellence de son port. Cette noble cité trempait les assises de ses murailles dans les flots du golfe de Morinie qui pénétrait alors dans l'intérieur des terres jusqu'au monastère de Sithiu, autour duquel, par la suite des temps, s'est aggloméré le bourg de Saint-Omer ; on y voyait des édifices qui dataient de l'époque même où les hommes avaient appris à construire des maisons avec la pierre et le bois ; et son port, qu'on fermait chaque soir au moyen d'une grosse chaîne de fer, abritait des centaines de galères que leurs matelots menaient trafiquer jusqu'aux pays des Angles et des Scots : cette reine des mers du nord, c'était Mardyck.

De l'Escaut à la Somme, la cité maritime de Mardyck était sans rivale : de loin en loin, il y avait bien sur les falaises ou dans les dunes quelques bourgades formées de huttes de pêcheurs à demi sauvages ; de ville ayant remparts, tours et castel, point. Aussi la réputation d'un lieu aussi favorisé et aussi magnifique était-elle répandue jusque dans les contrées froides et mystérieuses qui se cachent au loin derrière les brouillards du nord.

Tant il en fut qu'un beau matin, en s'éveillant, au point du jour, l'homme en vigie sur la plate-forme du castel se frotta les deux yeux à tour de bras, tellement extraordinaire lui semblait ce qu'il voyait : depuis la chaîne qui barrait le port jusqu'au fond de l'horizon, la mer était couverte de barques recourbées d'étrange façon et pleines de guerriers gigantesques et chevelus ; quelques-uns de ces hommes inconnus s'étaient même jetés à la nage et accrochés en grappe à la chaîne, qu'ils s'efforçaient de détacher ou de rompre.

Dès qu'il fut sorti de la stupeur que lui causait un spectacle aussi inattendu, l'homme de garde bondit sur sa trompe, et voilà pourquoi, ce matin-là, seigneurs et bourgeois, nobles hommes et hommes d'armes, marchands et marins, furent tirés en sursaut de leur sommeil par tels éclats de trompette qu'ils crurent ouïr les archanges sonnant la fin du monde.

Au reste, ils ne se trompaient point déjà tant, car pour nombre d'entre eux ce jour fut le dernier de la vie mortelle. Avant que les gens ahuris se fussent concertés et mis en défense, les étrangers avaient réussi à pénétrer dans la tour où s'attachait la chaîne, massacré les gardiens affolés, ouvert le port, et leurs barques, favorisées par le flot, s'étaient précipitées à l'envi, vomissant dans la ville des nuées de pirates hurlants, énormes et farouches.

Lorsque le soleil eut accompli la moitié de son voyage quotidien, dans la forte et belle cité de Mardyck il ne restait plus un Morin vivant : tous ceux qui n'avaient pas réussi à se réfugier derrière les robustes murs du castel gisaient assommés, pourfendus, éventrés, dans les rues ou dans leurs couches, à l'exception des plus jolies filles, que les envahisseurs avaient conservées pour leur commodité, et des mioches, dont ils étaient friands pour leurs repas ; et les barbares se gobergeaient à leur satisfaction dans les riches demeures où ils venaient de s'établir, comme pour prendre un avant-goût du bon castel qu'ils comptaient bien s'adjuger aussi en temps opportun.

Ces guerriers n'étaient autres que les Reuzes, hardis marins habitant les sauvages régions de la Scandinavie, dont les chefs se faisaient appeler orgueilleusement « les Rois de la Mer ».

Il faut croire que les bombances qu'ils s'octroyaient en Flandre leur parurent savoureuses, car à partir de cette époque et pendant des siècles ils ne discontinuèrent plus leurs expéditions. Pour le moment, comme ils se trouvaient à leur aise dans les confortables logis des bourgeois de Mardyck, ils y restèrent, faisant des ripailles féroces où leurs cuisiniers leur servaient des enfants cuits à point et troussés comme des cochons de lait, et où les belles captives leur versaient l'ivresse à flots, pendant que les pauvres diables réfugiés dans le château mangeaient de la vache enragée et de détresse se fourraient les poings dans les yeux.

Mais il n'est si riche trésor que l'on n'épuise en y prenant toujours sans y remettre jamais rien. Et de fait, un jour vint où l'on vit le bout des victuailles et tonneaux accumulés dans les caves, maisons et magasins de Mardyck, où l'on se régala du dernier des enfants de lait, et où l'on se fatigua de revoir sans cesse les mêmes captives. Ce jour-là, les Rois de la Mer tinrent conseil et résolurent d'exploiter le castel qu'ils considéraient comme une belle poire pour leur soif ; et dare-dare ils lancèrent leurs hordes à l'assaut. Mais ils avaient affaire à des gens désespérés qui, sachant ce qui les attendait, se battirent comme des diables : les Reuzes furent houspillés d'importance et finalement rejetés dans la ville en piteuse déconfiture. Les Rois de la Mer envoyèrent alors chercher du renfort chez eux et décidèrent de bloquer cette forteresse revêche ; en attendant, pour charmer leurs loisirs et ravitailler leur cuisine, ils se mirent à faire des razzias périodiques dans le plat pays.

Or, les endroits les mieux fournis et en même temps les plus proches étaient pour lors Wattanum, autrement dit Watten, ville située au fond du golfe, non loin du monastère de Sithiu ; puis Burg-in-Brock, que nous appelons maintenant Bourbourg, bâtie sur une île de la même baie, et enfin une bourgade prospère, sise au milieu des dunes, dans une anse de la côte, autour d'une église chrétienne, et que pour ces motifs on nommait Dunekercke. Ce fut à ces trois localités que les Reuzes décernèrent leurs suffrages et offrirent leur clientèle. Chaque semaine, quelques-unes de leurs barques partaient pour faire la tournée et ramenaient une ample provision de captives belles à voir, d'enfants bons à manger, de bétail, de boissons fermentées, et du butin de toute sorte.

Le chef qui dirigeait ces expéditions était un guerrier redouté, d'une taille colossale et d'une avidité impitoyable, que ses compagnons appelaient Allowyn — ce qui était un surnom voulant dire dans leur langue « prenant tout ». Nul ne trouvait grâce auprès de lui : les gémissements des pauvres gens dont on pillait la maison, les supplications des pères et des mères auxquels on arrachait leurs enfants, lui causaient des colères que des flots de sang pouvaient seuls éteindre ; les pleurs des jeunes filles enlevées lui procuraient d'agréables sensations, et les cris des mioches que l'on fourrait pêle-mêle dans de grands sacs le mettaient particulièrement en belle humeur. Le nom seul de cet ogre glaçait de terreur les populations de toute la Morinie.

*
* *

Sur ces entrefaites, il advint deux circonstances, desquelles les âmes pieuses conclurent que la Providence prenait enfin en pitié les misères des pauvres habitants des Flandres. Dieu permit que le terrible Allowyn, en débarquant un matin dans les dunes de Dunekercke, s'embarrassât la jambe dans les cordages de son navire et tombât de son bord sur le rivage de façon si malchanceuse que son glaive lui entra par la pointe dans les côtes. Le géant resta étendu comme un éléphant égorgé, noyant le sable de son sang ; ce que voyant, les pêcheurs crurent l'heure de la vengeance arrivée et s'élancèrent contre les guerriers atterrés, qu'ils exterminèrent furieusement à coups de crocs de fer, de massues, de haches et de pierres ; après quoi, ils se mirent en devoir d'écharper en conscience le Reuze Allowyn, toujours inanimé sur la plage.

Mais justement, en ce temps-là, le grand saint Éloi se trouvait à Dunekercke, où il était venu prendre des bains de mer pour se remettre des fatigues de ses multiples travaux d'artiste, de savant, d'évêque et de premier ministre. Et il faut que vous sachiez que c'était lui, Éloi, qui avait converti à la vraie foi les païens de cet endroit et qui leur avait bâti la belle église d'où la bourgade tirait son nom — car Dunekercke veut dire « Église des dunes ». Or, Éloi passa d'aventure, en revenant de prendre son bain, au moment où les pêcheurs, ivres de carnage, allaient mettre en pièces le géant évanoui.

— Arrêtez, leur cria-t-il, arrêtez, au nom du Dieu vivant !

A cet ordre tombé d'une bouche vénérée, les gens de Dunekercke s'écartèrent du blessé, sur lequel Éloi traça une croix d'un geste de sa main droite.

— Transportez ce guerrier en ma maison, mes frères, et

gardez-vous de le navrer davantage. Dieu a ses vues sur ce païen.

Telle était l'influence du grand Éloi sur ce peuple, que sans murmurer, les pêcheurs ramassèrent le Reuze, qui était prodigieusement lourd, et le portèrent avec toutes sortes de précautions en la demeure du saint, lequel s'y enferma étroitement avec lui deux semaines durant.

Ce qui se passa dans cette maison close pendant ces quinze jours, nul ne l'a jamais su : Éloi ne le dit pas, et personne n'osa le demander au redoutable Allowyn. Ce qui est certain, c'est qu'un grand miracle s'y accomplit, qui transporta d'allégresse toute la population et fit éclater à tous les yeux la puissance d'Éloi et la bonté de Dieu.

Le seizième jour, l'évêque sortit de sa maison accompagné de son gigantesque protégé, qui marchait la tête inclinée, dépouillé de ses armes et le torse nu ; et il se rendit avec lui à l'église des Dunes, suivi par les habitants émerveillés. Là, il fit entrer le Reuze dans la piscine baptismale, puis s'en allant prendre par la main la plus grande et la plus belle des pucelles du pays, il lui dit :

— Ma fille, de par Dieu, je te prie de m'assister. Le veux-tu ?

— Je le veux, répondit la belle fille.

— Sois donc l'introductrice de ce prince païen dans la communion des saints.

— Je le serai.

— Sois aussi l'épouse de ce nouveau frère. Le veux-tu ?

— Qu'il soit fait suivant votre vœu, mon père.

— C'est bien. Le Seigneur sera avec vous.

Sur-le-champ, le formidable Allowyn fut baptisé, puis marié, aux acclamations des fidèles. Au sortir de l'église, après avoir conduit sa femme en la maison d'Éloi, le Reuze sortit de nouveau, armé de pied en cap, et rassembla autour de lui ses nouveaux compagnons, qui ne pouvaient se défendre de trembler encore en l'approchant.

— Or ça, mes frères, dit-il de sa voix terrible, que ceux qui savent tailler le bois s'en aillent quérir leurs cognées ; que ceux qui savent bâtir avec des pierres s'en aillent quérir leurs truelles et leur ciment ; que ceux qui savent forger s'en aillent quérir leurs marteaux et leurs enclumes ; que ceux qui savent travailler la terre s'en aillent quérir leurs bêches ; que ceux qui savent se battre s'en aillent quérir leurs armes ; et que tous me viennent joindre sur l'heure. Telle est la volonté du vrai Dieu, qui m'a été transmise par l'évêque Éloi !

Il y eut grand étonnement parmi la foule, mais chacun se hâta d'obéir sans faire de question ; et quand tous ces hommes furent revenus avec ce qu'on leur avait dit, Allowyn se mit à tracer avec son glaive, sur le sable, un grand carré de cinq cents pas, sur lequel Éloi, à son tour, marqua avec le bout de sa crosse des remparts, des tours et des bâtiments, et les gens de métier commencèrent aussitôt à creuser conformément aux indications qui leur étaient données.

*
* *

Quand, après des semaines et des mois, les Rois de la Mer qui bloquaient le castel de Mardyck virent que leur compagnon, parti en expédition avec ses barques, ne revenait point, ils commencèrent à soupçonner quelque traîtrise, vu qu'aucune grande tempête ne s'était déclarée depuis son départ, sur la mer du Nord, et ils chargèrent l'un d'entre eux, grand ami d'Allowyn, d'aller à la recherche des bateaux perdus. Celui-ci s'en fut d'abord à Watten, et sur la réponse négative que les habitants firent à ses questions, il saccagea leurs maisons à fond en manière de remerciement ; il s'en fut ensuite au Burg-in-Brock, qu'il remercia de même ; enfin, il s'en fut à Dunekercke, où il pensa choir de stupéfaction en apercevant les murs crénelés d'une forteresse, là où auparavant on n'avait jamais vu que des écailles de moules sur une plage de sable.

— Par le sublime Odin, compagnons, mes sens sont-ils égarés, ou bien est-ce réellement un castel que je vois ?

— C'est vraiment un castel, Earl, répondirent les guerriers.

Comme les barques approchaient, un homme reconnaissable à sa stature colossale parut sur la muraille, et, se penchant vers les Reuzes attentifs, leur adressa un discours dans leur langue que les gens de Dunekercke ne comprenaient point ; puis il se retira, sortit seul par la poterne et s'en alla donner une longue accolade à son ancien ami, qui était descendu de son navire à sa rencontre ; après quoi il remonta sur la muraille, où il demeura jusqu'à la chute du jour, debout, les bras croisés, considérant pensif la flottille qui disparaissait dans l'éloignement.

Bien des années plus tard, longtemps après que les Reuzes eurent quitté Mardyck, dont ils n'avaient pu prendre le château, lorsque survinrent de nouvelles invasions d'hommes du Nord, le Reuze Allowyn, fidèle à la foi chrétienne et à sa patrie d'adoption, réussit tantôt par ses discours, tantôt par la force de son bras et son expérience de la guerre, à écarter de Dunekercke les fléaux qui désolèrent le reste du pays et anéantirent tant de villes florissantes ; c'est ce qui explique comment la cité naissante put se développer et devenir la grande et riche ville dont les gens de Flandre sont justement fiers de nos jours, tandis que de Mardyck il ne reste plus rien, si ce n'est le nom inscrit en caractères indéchiffrables sur de vieux parchemins fort sales.

Suivant l'assurance que lui avait donnée Éloi, en lui faisant ses adieux, Allowyn vécut dans son château des dunes jusqu'à l'âge de cent ans, un mois, une semaine, un jour et une heure exactement. Son dernier jour arrivé, il monta avec ses enfants et ses principaux guerriers sur une tour dont les vagues battaient la base et resta longtemps assis en silence, les yeux tournés vers le nord, où était le pays de ses aïeux ; puis, s'étant fait apporter le hanap d'or dans lequel son épouse chrétienne avait coutume, nombre d'années auparavant, de lui offrir les vins, il le tendit à son échanson en redressant son corps gigantesque, soutenu par ses compagnons. Alors, sa longue barbe blanche flottant au vent de la mer, il vida lentement la coupe chère à son âme, et, quand il eut bu, il la lança dans les flots ; en même temps, il s'affaissa : le Reuze était mort.

En ce temps-là, vous pensez bien qu'il n'y avait dans les Flandres ni peintres, ni sculpteurs, ni fondeurs en cuivre ; c'est ce qui empêcha les gens de Dunekercke, plongés dans la douleur, d'élever une statue à Allowyn comme ils l'ont fait plus tard pour son arrière-petit-fils Jean Bart ; mais, dans l'effusion de leur reconnaissance, ces hommes ingénieux trouvèrent cependant moyen de perpétuer dans les siècles des siècles, par un monument durable, la mémoire de leur Reuze invincible et bienfaisant. Avec des roseaux, des planches, des étoffes et des lames de fer, ils résolurent de construire un géant à la ressemblance de l'illustre défunt, et, comme ce n'étaient point des esprits grincheux et difficiles, quand ils l'eurent fini, ils se figurèrent avoir réussi. Ensuite ils ajoutèrent à leur église une haute tour pour loger leur colosse, et chaque année, au jour anniversaire de la mort du Reuze, une procession vint chercher son effigie pour la promener solennellement à travers la ville, au son des cloches et du carillon.

A notre époque d'agitations futiles et de disputes misérables, après plus de douze cents ans écoulés, les Dunkerquois promènent encore quelquefois le Reuze, mais le plus souvent ils laissent pendant des années les rats, les souris et autres animaux subalternes l'outrager impunément dans l'obscurité de la tour Saint-Éloi ; de sorte que quand il sort par aventure, les générations nouvelles, qui ne le connaissent point, en font dérision et les mioches en ont peur. C'est pourquoi j'ai jugé qu'il était temps de rappeler son histoire, afin que les hommes et les femmes de Dunkerque n'oublient plus ce qu'il a fait pour eux et que les petits enfants sachent qu'il n'est pas méchant.

H. VERLY

LE BASILEUS

*ou l'histoire véridique et authentique du comte de Flandre
qui devint empereur à Constantinople*

On était à l'entrée du Carême, très exactement le mercredi des Cendres, vingt-troisième jour du mois de février 1200. Tout était blanc. Blanche la ville de Bruges que la neige recouvrait depuis de longs jours déjà ; blanc le visage crispé, défait presque, de la belle comtesse Marie de Flandre, et blanc aussi celui de son époux Baldwin, mais de gravité plus que de crainte, ce visage-là ; et blancs les chemins qu'avaient empruntés pour se rendre à Bruges les meilleurs chevaliers parmi les plus braves vassaux que le comte avait convoqués pour ce jour glorieux entre tous. Car si Marie avait le visage si pâle et quelque peu marqué par des yeux cernés, si Baldwin présentait un aspect aussi fier et résolu, si les chemins des Flandres voyaient leur blanc revêtement d'hiver foulé par les chevaux des féaux compagnons du comte, si donc ce jour enfin était glorieux entre tous, c'était que le comte de Flandre allait, lui aussi, se croiser.

Depuis que son beau-frère, Thibaud de Champagne, lui avait présenté cette expédition lointaine et hasardeuse comme un devoir d'autant plus noble et digne que périlleux dans son accomplissement, rien n'avait pu fléchir le fier Flamand dans son inébranlable résolution de partir lui aussi affronter les dangers du voyage, de la mer tumultueuse et des cruels infidèles, pour la plus grande gloire de Dieu ! Rien, ni les larmes et supplications de sa tendre épouse Marie ni les réserves émises par ses conseillers politiques et intendants qui craignaient au plus haut point les funestes conséquences de la si longue absence prévisible du seigneur de Flandre et de Hainaut : non, rien ne pouvait arrêter le lion des Flandres dans son entreprise dès lors que, son dessein bien arrêté, il avait commencé à tailler ses griffes !

Voilà pourquoi, en cette froide journée de février, les Flamands de Bruges, marchands, nobles, clercs et manants réunis, contemplaient le spectacle qu'offrait la lente procession du comte et de ses fidèles vassaux, cheminant sous la conduite de l'évêque de la ville vers l'église Saint-Donat. Lorsque le cortège entra en ce lieu saint, des chœurs se firent entendre : ils contaient la captivité du peuple juif à Babylone, la douleur de ce peuple séparé de sa terre, la terre pourtant qui avait été promise à ses frères par le Seigneur Dieu lui-même : mais les chants contaient aussi l'espoir de voir se finir un jour l'exil et de partir reconquérir la terre sainte ; lorsque le silence se fit, l'église tout entière était remplie de chevaliers et gens d'armes qui avaient décidé d'embrasser la cause sacrée et de suivre, vers l'Orient, la bannière de Flandre.

Alors l'évêque de Bruges se leva lentement de son siège épiscopal ; cérémonieusement il descendit les marches du maître-autel et s'avança vers le comte Baldwin. Celui-ci plia le genou gauche en terre et inclina l'épaule droite : d'un geste solennel, l'évêque apposa sur l'épaule offerte la croix de lin brodée d'or : le comte de Flandre était croisé !

A ce moment se produisit un événement inattendu, surprenant, si étonnant que toute l'assistance fut parcourue d'un long frémissement où se mêlaient tout à la fois l'admiration et la compassion, la fierté et l'inquiétude, l'approbation et la réserve, la joie et la crainte : Marie de Champagne, comtesse de Flandre, s'était avancée devant l'évêque auquel elle adressa ces quelques mots, simples et poignants de détermination tout autant que de résignation : « Mon seigneur, et vous aussi mon noble sire, ajouta-t-elle à l'adresse de son époux, puisque rien n'a pu fléchir si ferme résolution, force m'est bien d'y reconnaître l'inspiration divine contre laquelle je ne puis ni ne désire lutter ; bien au contraire, il m'apparaît maintenant que mon devoir est de persévérer à vous servir, vous mon époux et aussi le seigneur notre Dieu, de la seule estimable façon qu'il me soit donné de concevoir. »

Ayant dit, la comtesse, imitant en cela le geste de son époux, offrit son épaule droite à l'homme de Dieu qui y apposa avec émotion la sainte croix de toile.

Ce jour-là, se croisèrent aussi, en grande piété, Henri de Hainaut, frère de Baldwin, Guillaume son neveu, avoué de Béthune, et Conon son frère, Jean de Nesle, châtelain de Bruges, et Renier de Trith et Renier son fils, et Roger de Marcke, Eustache de Salperwick, et Bernard de Somerghem, et bien d'autres preux encore... pour la plus grande gloire de Dieu !

*

* *

Saint-Jean-d'Acre, le neuvième jour du mois d'août 1204. Un léger souffle de vent tiède plane sur les marécages qui relient la mer aux premières pentes des montagnes de Galilée. Du promontoire qui domine au nord la baie d'Acre, les soldats de la garnison chrétienne ont bonne vue sur les points stratégiques : l'embouchure du fleuve Belus, les collines de Thuron, Kison, Saron et Karouba, théâtre de tant d'actes de bravoure accomplis treize ans plus tôt par le roi Richard, surnommé « Cœur de Lion » par les musulmans qui défendaient alors Acre assiégée par les chevaliers venus du lointain Occident.

Tout comme en ces temps d'héroïsme, la ville est puissamment protégée du côté de la mer par une enceinte en pierres de taille carrées, jalonnée à intervalles réguliers de tours fortes et élevées ; chaque porte est protégée par deux de ces tours ; les murs sont si larges que deux chars peuvent se croiser, sans risque de chute, sur le chemin de ronde. Du côté de la terre, de doubles murs et de profonds fossés, précédés de fortifications avancées jusques auxquelles s'aventurent les sentinelles, garantissent la quiétude de la capitale du royaume de Jérusalem.

L'intérieur est bien digne de ce titre échu à la ville quatre ans après la reprise de Jérusalem sur les Francs de Palestine par le sultan Saladin en 1187. Les places sont belles, grandes et propres, et s'ouvrent à chaque angle d'une forte tour munie de portes et chaînes de fer. Les maisons fortes de la cité sont presque toutes occupées par de nobles seigneurs et leurs suites : ainsi le roi de Jérusalem, le prince de Galilée et celui d'Antioche, le duc de Césarée, le comte de Tripoli et celui de Jaffa, les seigneurs de Baruth, Tyr, Tibériade, Ibelin, Blanchegarde ; de véritables châteaux forts appartiennent aux grands ordres qui ont pour vocation affirmée de défendre la Terre Sainte et qui ont pour noms : chevaliers du Temple, frères de Saint-Jean de Jérusalem, teutoniques, hospitaliers ; laïcs ou ecclésiastiques, ces nobles passent le plus clair de leur temps en tournois, jeux et exercices militaires, quand ce n'est pas en réceptions où ils font montre de leurs précieux habits couverts d'argent, d'or et de pierreries, et rivalisent de splendeur avec les riches marchands de Pise, Gênes, Florence et Venise.

Mais en l'une de ces belles demeures, ne retentit le bruit d'aucune fête, ne résonne l'écho d'aucune allégresse. Dans une grande pièce aux parois couvertes de tapisseries et aux portes protégées des ardeurs du soleil par des rideaux de soie, derrière une fenêtre de verre peint, règnent la tristesse et sa consœur la souffrance. Prise par les fièvres malignes qui semblent monter chaque jour davantage des plaines maréca-geuses, Marie de Champagne, comtesse de Flandre et de Hainaut, épouse de Baldwin, le basileus de Constantinople, se meurt. Son chagrin est grand de n'avoir plus été étreinte par son cher époux depuis plus de deux ans, de n'avoir pu offrir à ses yeux de père la petite Marguerite, cette nouvelle preuve de leur amour qu'elle a portée en elle de longs mois durant et qui seule l'a retenue de suivre Baldwin jusqu'en Orient comme elle se l'était cependant promis. Pourtant, au printemps 1204, délivrée et relevée, Marie était partie pour Marseille en compagnie du châtelain de Bruges, Jean de Nesle, et avait embarqué pour la Palestine où elle devait attendre l'arrivée de son cher Baldwin.

Las ! Sitôt débarquée en Acre, la comtesse avait appris que son époux était présentement à Constantinople où la destinée et surtout les exigences politiques et mercantiles des cupides transporteurs vénitiens l'avaient assis sur le trône impérial.

Femme de décision, elle avait choisi de se reposer quelque temps à Saint-Jean, puis de rejoindre Baldwin à Byzance. Las encore ! La fièvre pernicieuse avait frappé aux portes de la ville, et la comtesse avait été l'une des premières à s'en trouver atteinte. Et aujourd'hui, 9 août 1204, où seul le dévoué Jean de Nesle se tenait encore à ses côtés, serait son dernier jour en ce monde ; cela elle le savait, comme elle savait qu'elle ne reverrait son bien-aimé comte que dans le seul monde promis à jamais aux croyants dans le vrai Dieu et le Seigneur Christ, celui que l'on n'atteignait qu'après la mort. Marie exhala soudain un soupir plus fort qu'à l'accoutumée : sous l'effet de la souffrance, son visage se crispa dans le sourire qu'elle avait eu à la pensée de ses heureuses retrouvailles dans la vie future, puis sembla s'endormir. Le châtelain de Bruges se jeta à genoux et joignit les mains pour réciter les saintes prières. Marie de Champagne, comtesse de Flandre et de Hainaut, n'était plus.

A Constantinople, le basileus n'arrivait point à chasser les sombres sentiments qui s'étaient emparés de sa personne. Car, même si l'intérêt supérieur de l'Empire devait désormais primer sur toutes autres préoccupations, Baldwin avait cédé au désespoir personnel. La nouvelle terrible de la mort de son épouse Marie venait de l'atteindre dans les derniers jours d'octobre de l'an 1204, alors que l'éclat et la chaleur des beaux jours de l'été avaient laissé la place à la grisaille des brumes noyant quotidiennement Corne d'Or et Bosphore.

En ce moment, Baldwin se rappelait surtout qu'il était le jeune comte de Flandre parti à la Croisade depuis plus de deux ans, et depuis ce temps séparé de sa femme, la douce et tendre comtesse Marie de Champagne, qu'il avait tant chérie. Il l'avait chérie à tel point que tous les Grecs qui l'avaient approché auraient pu en témoigner, bien que vivant séparé de son épouse, il n'avait jamais eu de regard pour aucune autre dame et, la foi aidant, n'avait cherché de réconfort moral que dans l'assiduité aux offices divins que célébrait à Constantinople le patriarche vénitien Thomaso Morosini. Alors, à présent que Marie n'était plus, le basileus se prenait à souhaiter qu'une prompte mort vînt le soulager de son lourd fardeau et lui permît de rejoindre dans l'au-delà sa bien-aimée...

Bientôt cependant, il lui fallut se tourner à nouveau vers les devoirs de sa charge. Sur les marches de l'Empire, le redoutable tsar Kalojan menaçait de plus en plus. Baldwin avait, dans un premier temps, dépêché sur place le fidèle Renier de Trith. Celui-ci avait aussitôt déployé une admirable bravoure. Il n'avait avec lui que cent vingt chevaliers mais ses qualités de combattant tout autant que de diplomate firent bientôt merveille. Jouant habilement sur la peur qu'inspirait le redoutable et barbare tsar des Bulgares, dont l'on disait qu'il était plus cruel que les sauvages Koumans auxquels il s'était allié, il s'attira rapidement la confiance des autochtones. Les premiers rapports qu'il adressa au basileus firent donc état d'une situation tout à fait satisfaisante. Rapidement cependant, la menace bulgare s'était accrue et, au printemps 1205, Renier avait supplié Baldwin de venir à son aide, près d'Andrinople. Voilà pourquoi, le 10 avril 1205, l'armée du basileus attendait en cette région la terrible invasion bulgare.

Le 12 avril, un murmure effaré parcourut l'armée impériale. De tout le pays environnant, l'on annonçait l'arrivée de Kalojan, flanqué de plus de dix mille auxiliaires koumans ; le 13 avril, les cavaliers des steppes furent en vue des chevaliers de l'Occident. Sur ordre de Kalojan, ils parcoururent les troupeaux qui paissaient devant le campement des Francs, y causant de grands ravages. Ne pouvant souffrir un tel sort,

les chevaliers effectuèrent, fidèles à leurs habitudes, une impressionnante charge de cavalerie... qui s'essouffla rapidement derrière les chasseurs des steppes montés sur de fougueux coursiers et fuyant devant les Croisés tout en leur décochant des tirs aussi nombreux que blessants, au moins pour les montures. Comprenant l'inanité de leurs efforts, les Francs décidèrent alors de se ranger aux conseils de l'avisé Dandolo en se massant dorénavant lors de la prochaine attaque des insaisissables adversaires, devant le camp, sans en bouger.

Le lendemain 14 avril, jeudi de Pâques 1205, les Croisés prirent garde de négliger le saint service du Christ. Les Francs célébrèrent pieusement le souvenir de la Cène. Pendant la sainte messe comme pendant le repas qui suivit, Baldwin fut saisi d'un sombre pressentiment : le jeudi de Pâques, le Christ avait pour la dernière fois de son existence terrestre pris son repas avec ses disciples. Si le Seigneur Dieu avait décidé de fixer aussi à ce jour mémorable la fin du règne du basileus, il n'y avait plus qu'à s'incliner devant sa volonté ... et à prier, ce que Baldwin entreprit avec dévotion au milieu même de ses agapes.

*
* *

Ce 14 avril 1205, le basileus fut tiré de son recueillement par une grande agitation, des cris et bruits de gens d'armes quittant brusquement la table et revêtant en toute hâte leur armure : dans une foultitude de petits nuages de poussière, les cavaliers koumans avaient entouré le camp des Francs qu'ils harcelaient à présent de leurs flèches, hors de portée des lances et glaives des gardes établis aux avant-postes. Ceux-ci ne bougeaient d'ailleurs pratiquement pas, fidèles en cela à la tactique arrêtée le jour précédent. Le basileus se dirigea d'un pas rapide vers le seuil du camp : passé le premier temps d'observation, il lui appartiendrait de décider des mesures à prendre si la pression des ennemis venait à s'accentuer.

Il n'en eut pas le loisir. Oubliant toute prudence, le bouillant Louis de Blois avait jeté à bas le hanap qui ornait la table des hauts barons, fait amener son cheval le plus rapide pour aussitôt l'enfourcher tout en jetant un haubert sur son dos et en criant à qui voulait l'entendre qu'il ferait bien reculer ces gloutons qui l'avaient troublé dans son dîner. Renaud de Montmirail et Étienne du Perche, tous deux autant fougueux que téméraires, l'avaient accompagné dans cette folle chasse donnée à un ennemi infatigable.

La poursuite dura l'espace de deux lieues. Poursuite bien étrange, curieuse, voire inquiétante, que celle qui consistait en la fuite de plusieurs centaines de guerriers des steppes devant trois barons accompagnés d'abord de quelques chevaliers, puis bientôt de l'empereur lui-même et des plus braves compagnons flamands. Car en dépit de la fureur qu'il avait ressentie à voir l'un des plus hauts barons de l'armée transgresser les prudentes consignes données la veille même, le basileus n'avait pu se résoudre à laisser ces insensés courir seuls les plus grands périls. Et voilà pourquoi, pestant et jurant contre l'indiscipline de Louis, il courait à présent sus à ces merveilleux cavaliers qui apparaissaient et disparaissaient avec une déconcertante facilité.

Mêlé à la fureur, le pressentiment qui l'avait pris depuis la sainte messe de ce jour ne cessait de tenir une place de plus en plus envahissante en son esprit.

La cavalcade abordait maintenant une légère pente sablonneuse au-delà de laquelle l'on ne distinguait quasiment rien. Ce fait n'empêcha pas l'impétueux Louis de Blois de presser davantage sa monture et de disparaître derrière le sommet, aussitôt suivi par le basileus parvenu jusque dans son sillage.

Tapis dans le vallonnement, les Koumans guettaient les imprudents. De tous côtés à la fois, une grêle de flèches s'abattit sur les chevaliers. Le basileus eut aussitôt son cheval atteint et trébucha sur le sable qui amortit sa chute. Un autre trait l'atteignit à terre, sur le flanc droit. L'empereur se releva prestement et engagea vaillamment le combat, refusant le coursier que lui tendait le fidèle Jean de Friaize qui le pressait de fuir, et n'écoutant pas davantage le sire de Blois qui lui prodiguait le même conseil. Celui-ci, revenu de son emportement, cherchait à présent par une noble attitude à effacer les conséquences désastreuses de son acte irréfléchi. Ah ! certes, le courage ne lui manqua pas au sire de Blois ! Jamais il ne songea à fuir, pas plus d'ailleurs que son empereur, pas plus que la plupart des plus grands chevaliers engagés dans cette impasse meurtrière ; certains pourtant, la fatigue et la peur aussi prenant le dessus, rompirent peu à peu le combat et délaissèrent lâchement le champ de bataille.

Ces défections décidèrent du sort du combat. Un vent de défaite souffla sur la dune et la mort frappa dru dans les rangs clairsemés des Francs. Tombèrent Jean de Friaize, puis Étienne du Perche et Renaud de Montmirail, et le brave Mathieu de Walincourt, qui avait déjà eu son cheval tué au siège de Constantinople et n'avait alors réchappé au trépas qu'à grand-peine. Une flèche traversa la gorge de Louis de Blois qui s'écroula sur le sol tachant de rouge le sable blanc aux pieds du basileus. De plus en plus isolé, celui-ci pleura de rage lorsqu'il vit s'éloigner au grand galop Pierre de Frouville qui avait pourtant été l'un des premiers à donner la chasse aux Koumans.

Il ne restait plus que quelques braves de la garde flamande à défendre chèrement leur vie et à protéger tant bien que mal leur comte et empereur, cherchant désespérément à frapper un ennemi qui ne s'approchait que trop rarement jusqu'au contact de leurs glaives, préférant décocher de loin des traits acérés. L'un de ceux-ci atteignit à nouveau le basileus, à la cuisse gauche cette fois. Une nouvelle volée de flèches fit tomber sur sa droite le vaillant évêque Pierre de Bethléem, que d'autres grands suivirent l'instant d'après dans la mort : les frères Eustache et Jean de Haumont périrent ensemble, et Baldwin de Neuville avec eux...

A présent, le basileus demeurait seul. Sa bravoure tenait toutefois encore éloignés ses ennemis. Mais ses deux blessures l'avaient par trop affaibli, et le courage même, devant la mort de tous ses plus braves compagnons et la fuite des quelques autres, le quittait. Pourtant, lorsque tout un groupe de Koumans l'encercla de trop près à son gré, il frappa encore, atteignant adroitement le plus imprudent d'entre eux. Mais quatre autres le ceinturèrent ensemble et lui firent toucher terre, l'un d'eux lui pointant une dague sur la gorge. Baldwin comprit et cessa toute résistance : moins d'un an après son couronnement, à Constantinople, le basileus n'était plus que le malheureux prisonnier du cruel tsar des Bulgares, Kalojan le terrible.

En son palais de Tirnovo, le tsar ne cache pas sa royale colère, que ne parviennent pas à apaiser ses courtisans

innombrables mais tous apeurés. Quelle est donc la cause du courroux du redoutable Kalojan ? A son principal ministre qui lui pose la question en tremblant et attend la réponse tout aussi terrifié, le tsar des Bulgares ne répond mot de suite. Dans l'instant suivant cependant, ses lèvres se desserrent et murmurent imperceptiblement : « Baldwin. »

Depuis plusieurs mois déjà, cet entêté Flamand résiste au puissant tsar des Bulgares ; il ne cesse d'opposer un refus buté, lointain et presque méprisant, aux objurgations de Kalojan qui lui propose une occasion unique pourtant de revoir bientôt les rives ensoleillées du Bosphore. Pour cela, il lui suffisait de promettre de reconnaître, une fois libéré et réinstallé sur son trône de basileus, le royaume autonome de Bulgarie, dont le souverain, en échange, deviendrait volontiers le vassal, tout théorique naturellement, de l'empereur de Byzance... Moyennant quelques compensations sous la forme de territoires situés au sud du Danube entre la Maritza et le Pont-Euxin. Mais cet obstiné chevalier venu du lointain

Occident avait refusé jusqu'à présent une si avantageuse proposition. Et voilà pourquoi le tsar, peu habitué à essuyer de tels refus, ne décolérait pas depuis plusieurs semaines.

En son appartement sis au sein du palais des tsars, Baldwin émergeait lentement du bienheureux engourdissement dans lequel il prenait plaisir désormais à se plonger pour oublier la tristesse de son sort. Soudain, il sentit un regard posé fixement sur sa personne, un regard chargé de désir, puis quelque chose de très doux, comme des cheveux de femme, frôler son front et descendre le long de son visage dans une caresse merveilleusement légère avant de s'insinuer dans le creux de sa nuque, puis enfin le contact suave et tiède de lèvres délicatement employées à déposer sur sa peau un long baiser baigné de tendresse.

« Marie », laissa échapper Baldwin dans un souffle. Ses yeux s'ouvrirent et contemplèrent le ravissant visage de femme aux longues tresses noires gracieusement ourlées de soie, aux yeux brillants de convoitise qui, depuis un temps indéfini, s'attardaient à la contemplation du jeune et viril prisonnier des Bulgares.

« Non, pas Marie, entendit-il, mais Kalitza qui t'aidera, si tu le veux, à chasser les sombres pensées qui t'assaillent et à retrouver dans de merveilleux transports le calme et la sérénité de l'esprit de tout homme comblé par l'amour. »

Le parfum de l'ensorceleuse tsarine, mêlé aux sonorités mélodieuses de sa voix, produisit sur Baldwin un sentiment tout proche du désir d'abandon aux soins de l'envoûtante créature. Celle-ci reprit alors le cours de ses paroles : « Plus jamais Marie, tu appartiens désormais à Kalitza. »

Alors fut brisé le charme. Le souvenir de la tendre et fidèle compagne de ses plus belles années revint en l'esprit du comte : Baldwin repoussa brusquement la tentatrice qui alla s'affaler sur les tapis posés à même le sol, au pied du sofa. Tremblante de rage, la tsarine rajusta ses voiles et quitta précipitamment les lieux, marmonnant toute une suite de propos au milieu desquels le basileus captif crut discerner des intonations particulièrement menaçantes. Mais perdu dans l'évocation de sa chère Marie et résigné à son sort, fut celui-ci le plus horrible qui eût pu être conçu, il ne s'en effraya pas et laissa même un léger sourire accentuer le côté rêveur de sa noble expression.

Dans la plus grande salle de son palais, le tsar avait convié autour de lui ses plus chers compagnons de combat pour festoyer et banqueter joyeusement. Les coupes succédaient aux coupes et les mets les plus délicats commençaient à joncher le sol aux abords des tables copieusement servies depuis plusieurs heures déjà. D'instant en instant, Kalojan le terrible impressionnait de moins en moins son entourage. Seuls les serviteurs qui assistaient habituellement aux beuveries du maître des lieux savaient de quelles redoutables réactions était capable le barbare.

Les sons de la fête baissèrent d'intensité soudain. La tsarine Kalitza venait de faire son entrée en la grande pièce bruyante et infestée d'odeurs âcres peu propices à la délica-

tesse d'une si aimable personne. Son arrivée surprit quelque
peu les convives qui se figèrent un moment avant de replon-
ger dans leurs débauches sur un geste du tsar suivant immédiatement celui par lequel la tsarine avait été invitée à
rejoindre son royal époux. Kalitza s'assit auprès de Kalojan,
et tous deux levèrent une coupe à leur prospérité ; lorsqu'elle
eut reposé le calice sur le siège bas que l'on avait apporté à
cet effet auprès d'elle, la tsarine se pencha langoureusement
vers son époux et lui susurra quelque message dont, pour
secret qu'il fût, les plus proches conseillers royaux surent
instantanément qu'il intéressait au plus haut point le tsar.

Kalojan donna un ordre à l'un des serviteurs qui quitta
aussitôt la salle bruyante et animée. Quiconque eût porté son
regard vers le visage de la tsarine eût remarqué l'intensité de
l'émotion qui la gagnait progressivement. Cette fois, l'entrée
du nouvel arrivant fit taire instantanément tous les propos
d'une assistance pourtant étonnamment bruyante jusqu'alors. C'était que Baldwin en personne venait d'être introduit entre deux gardes et amené sans ménagement devant le
couple royal. Kalojan lui jeta un regard dépourvu de toute
aménité : au fond de ses prunelles brillait, cruel, le désir de
vengeance, exacerbé par les effets de l'ivresse qui s'était peu à
peu emparée de toute sa personne.

Aussitôt Baldwin comprit... et accepta. Certes, il eût pu
essayer de se disculper, protester de son innocence, mais cela
eût signifié une attitude suppliante, déshonorante devant des
barbares au comble de l'excitation ; et cela, il ne le voulait en
aucune façon ; et puis, peut-être était-il préférable, tout étant
désormais perdu, qu'il laissât maintenant jouer le destin qui
jamais depuis son départ de Bruges, il y avait à présent près
de trois ans, ne l'avait autant rapproché, même par le passage
obligé de la mort, de sa bien-aimée Marie. Aussi le basileus
déchu n'eut-il pas un geste lorsque le tsar lui ordonna de
plier genou en terre et d'implorer son pardon pour l'infâmie

de l'acte qu'il avait osé tenter sur la belle tsarine, laquelle heureusement s'était empressée de relater les faits odieux à son époux. Immobile et comme absent, Baldwin ne donna en spectacle aucune réaction à ce discours, pas plus qu'il ne tressaillit lorsque deux Bulgares le forcèrent à s'agenouiller puis quand, sur un geste du tsar, le couperet mû par le capitaine de la garde s'abattit sur sa nuque et, d'un coup, lui trancha la tête.

Ainsi s'éteignit le comte Baldwin de Flandre et de Hainaut, premier basileus franc de l'Empire latin d'Orient.

Éric VANNEUFVILLE

LE BÂTON DE SAINT WINOC

Au temps où nous étions petits et où la ville de Lille n'était pas grande, les bonnes vieilles du quartier Saint-Sauveur, en faisant leur dentelle, assises sur le seuil de leur porte, nous contaient l'histoire qu'on va lire, à seule fin de nous enseigner la pratique des vertus chrétiennes.

*
* *

Il y avait une fois un pauvre petit homme qui habitait le hameau d'Uxem-en-Moëre, lequel consistait pour lors en une demi-douzaine de masures tenant avec peine leurs bonnets de chaume au-dessus des grands marais.

En ce temps-là, pour s'en venir vendre leurs boules de beurre au marché fameux de Bergues-Saint-Winoc, les gens d'Uxem en avaient pour trois grosses heures à patauger au milieu des roseaux ; pour aller à Dunkerque payer leurs redevances c'était quasiment la même chose, tout l'été durant.

L'hiver, c'était pire et mieux tout à la fois, car, les *watergants* débordés, le pays se trouvait changé en lac, et alors, si les villageois devaient vivre dans leurs greniers comme Noé dans son arche, du moins avaient-ils l'avantage de pouvoir se servir de petits bateaux, qui vont sur l'eau, comme chacun sait. Nonobstant, on s'explique que les naturels de cet endroit-là ne sortaient pas souvent de leur trou pour leur plaisir.

Le pauvre petit homme s'appelait Joseph Ratenboel, nom euphonique que les citadins de Bergues, nés goguenards, affectaient par moquerie de prononcer Rat-en-Boule. Et de fait, le sobriquet n'était point mal appliqué, vu que Joseph était courtaud et boulot, et que sa trogne drolatique, avec ses yeux ronds et ses dents menues, donnait assez bien l'idée d'un rat poupin.

Ce n'était même pas des pochons de beurre que le pauvre diable venait vendre à la ville ; il avalait ses trois lieues de bourbe pour colporter, de maison en maison, une simple charge d'allumettes de chanvre, plus grosse que lui — content quand il l'avait changée en gros sous avant de s'en retourner, content tout de même quand il n'en avait placé que la moitié.

Ratenboel avait pourtant connu de meilleurs jours : sous son chaume, des vaches avaient beuglé et des chèvres avaient bêlé ; des écus avaient sonné dans son escarcelle. Une crue subite avait noyé son étable en une nuit de décembre, et le brave petit homme avait perdu sa bourse de cuir avec ses quibus en secourant dans l'obscurité son voisin qui coulait bas ; ce qui fit que le soleil du lendemain le trouva gueux comme Job. Et voilà pourquoi Joseph Ratenboel peinait maintenant dur et ferme, essuyait les brocards des malins de Bergues, et s'était fait marchand d'allumettes.

Or, un certain soir que le petit homme, après une journée malheureuse, se hâtait vers le moutier de Saint-Winoc, dans l'espoir d'apitoyer le frère cuisinier et de lui vendre sa cargaison, survint un orage si effroyable avec une pluie si froide et si tenace que les moines eux-mêmes crurent à un nouveau déluge et commencèrent à se confesser leurs frasques les uns aux autres. En même temps, ils songèrent à pratiquer la charité pour se raccommoder avec le ciel, et ils invitèrent le petit homme à se réconforter à leur table et à dormir sous leur toit. Ce qu'il accepta volontiers. Excité par les bons pères, qui le regardaient comme l'instrument vivant de leur salut et comptaient à leur actif céleste chacun de ses coups de dents ou de gosier, il mangea gras et but sec, comme oncques ne lui était arrivé. Quand il eut avalé en solide et en liquide tout ce que son petit bedon pouvait contenir, force lui fut de s'arrêter, encore qu'il eût pris goût à la ripaille ; et les moines de lui demander à l'envi :

— As-tu bien dîné, Ratenboel ?

— As-tu bien bu, Joseph ?

— Joseph, as-tu bien mangé ?

— Es-tu bien bourré, Ratenboel ?

— Oh ! répondait-il plein de reconnaissance, en montrant du doigt le fond de sa bouche, oh ! mes pères, voyez, vous pourriez le toucher !

Alors les bons moines émerveillés le menèrent coucher dans la chambre d'honneur de l'abbaye, celle où leur saint patron Winoc avait trépassé, au temps jadis. Puis ils se retirèrent chacun en sa cellule pour attendre les matines.

Joseph, qui n'avait jamais été à si bonne fête et qui ne soupçonnait mie qu'il y eût des lits pareils sous la calotte des cieux, ne prit que le temps de tirer ses chausses et de faire ses prières, et il s'endormit du sommeil des justes bien repus.

Un terrible éclat de tonnerre le réveilla au milieu de la nuit : une grande clarté illuminait la chambre, faisant flamboyer les mascarons grimaçants sculptés dans les lambris. Ce que voyant, le petit homme fut pris de grande terreur :

— Au feu ! au feu ! cria-t-il de toutes ses forces.

— Tais-toi ! dit une voix grave.

Et alors, avec un redoublement de peur, Ratenboel aperçut un vieillard vêtu de bure, dont le visage blanc et rigide comme un marbre était entouré d'une vive auréole. À quoi Joseph reconnut qu'il avait affaire à un trépassé et à un saint ; il se mit à genoux sous ses couvertures et attendit en joignant les mains et en récitant son *Pater*.

— Joseph, lui dit le fantôme, je suis saint Winoc...

— Je m'en doutais, murmura le petit homme au milieu de son oraison.

— Et je veux faire quelque chose pour toi...

— Bien des bontés ! répondit-il poliment en commençant un *Ave*.

— Tu as perdu ta richesse en sauvant ton prochain et tu as supporté chrétiennement ta misère ; je t'en veux récompenser. Tu trouveras à la porte de cette abbaye un âne roux, je te le donne. Quand tu voudras quelque chose, tu lui diras : « Baudet de saint Winoc, fais-moi ceci ou cela ! » et ton souhait s'accomplira. Bonne nuit, mon fils, et prends garde de perdre mon âne !

— Et si je le perdais ? fit le petit homme ahuri.

— Tu viendras dans la chapelle frapper trois fois à mon tombeau au nom du Père, du Fils et du Saint-Esprit.

— Ainsi soit-il ! répondit dévotement Ratenboel en ramenant sa couverture sur son nez.

Mais l'apparition avait troublé sa digestion et ses esprits : il ne put se rendormir. De plus, il ressentait un violent désir de palper son âne et d'en éprouver les qualités merveilleuses pour s'assurer qu'il n'avait point rêvé. Il se leva donc à petit bruit, se faufila par les couloirs et s'en fut secouer respectueusement le frère portier, qui lui répondit : « *Dominus vobiscum !* » et lui ouvrit l'huis sans se réveiller.

Le petit homme se glissa dehors tout tremblant d'anxiété et pensa choir d'allégresse en apercevant, dans la brume argentée de l'aube, un beau gros roussin qui tuait le temps en chiquant des chardons.

— Gloire au grand saint Winoc ! s'écria Ratenboel dans l'excès de sa jubilation ; et s'approchant de sa monture, il ajouta aussitôt, en homme pratique :

« Baudet de saint Winoc, fais-moi une pipe, du tabac et un briquet ! »

Aussitôt, il entendit tomber entre les jambes de l'animal un paquet dont il se saisit : il y trouva les objets demandés proprement enveloppés dans un mouchoir rouge. Sans lanterner, Joseph alluma sa bouffarde, puis, de peur qu'on ne lui vînt reprendre sa bête, il se mit à la pousser dare-dare : « Hue, hue, bourrique ! »

*
* *

Arrivé au marais, Joseph se trouva penaud : l'orage avait fait monter l'eau, et en cette saison il ne fallait mie compter sur les bateaux.

— Bon ! dit-il. Je suis bien sot de me faire de la bile !... Baudet de saint Winoc, fais-moi dix écus !

Et il heurta à la porte d'une hôtellerie.

L'aubergiste, qui le connaissait, s'étonna de sa fortune subite :

— Eh ! Ratenboel, dit-il, comme te voilà faraud ! As-tu donc fait un héritage depuis hier ?

— Si fait, répondit le petit homme, j'ai hérité du grand saint Winoc.

— Oh ! oh ! je ne te savais pas si bien apparenté ! Et il t'a légué cette belle bourrique ?

— Oui, il me l'a léguée. Mettez-la, s'il vous plaît, à l'écurie, et ayez grand soin de ne pas lui dire : « Baudet de saint Winoc, fais-moi ceci ou cela », car vous me causeriez du tort.

— Sois tranquille, Joseph, on le soignera comme il faut et on ne lui dira rien d'indiscret.

Le petit homme s'assit auprès du feu, pendant que l'aubergiste, qui avait flairé une bonne affaire, s'empressait de troquer l'âne merveilleux contre son propre roussin qui en était pareil. Et, le soir, les eaux ayant baissé, Ratenboel se remit en chemin pour Uxem, sa bonne pipe aux dents, faisant tinter dans sa poche le restant de ses écus, et marchant à la queue de l'âne de l'hôtelier qu'il prenait pour le sien.

Du plus loin qu'il aperçut sa ménagère et ses six mioches qui l'attendaient au seuil de sa chaumière, il se mit à crier gaiement :

— Bonne nouvelle, femme ! On n'aura plus ni faim ni froid, car ce baudet-ci porte une fortune.

Et voyant, quand il fut entré, que la maisonnée claquait du bec, il se mit à dire : « Baudet de saint Winoc, fais-moi des fagots, des choux, des carottes, des navets, des haricots et trois aunes de boudin gras ! »

La bourrique répondit « hi-han ! » mais ce fut tout ce qui sortit d'elle. Joseph recommença, répéta, épela son ordre : ce fut en vain ; de guerre las, et n'y comprenant rien, il se mit à braire, en raconta tout à sa femme, qui l'engagea raisonnablement à aller consulter saint Winoc sur ce cas singulier.

— Ça, c'est une idée. J'irai demain.

La famille se coucha, le ventre creux, ce dont elle avait l'habitude, et le lendemain Ratenboel s'en alla dans la chapelle de l'abbaye buquer trois fois au tombeau du bienheureux, au nom du Père, du Fils et du Saint-Esprit.

— Qui est là ? demanda une voix souterraine que Joseph reconnut fort bien.

— C'est le petit Ratenboel qui ne peut plus faire aller son baudet et qui est, par ainsi, gros-jean comme devant.

— Innocent ! fit la voix. Ramasse le sac qui est sous tes pieds, il remplacera ton âne. Pour t'en servir, tu lui diras :

« Sac de saint Winoc, remplis-toi ! » Et tâche d'être moins bête !

Joseph, en faisant sa génuflexion, vit en effet un sac par terre ; il le ramassa, le mit sous son bras, et s'en fut. Mais comme il passait devant l'hôtellerie, l'aubergiste l'appela :

— Eh bien, Ratenboel, on n'entre donc pas boire une canette avec les amis ?

— Ça va ! mais devant, cachez mon sac sans lui dire de se remplir.

— C'est bon, Joseph, on le serrera sans lui parler.

Et le fripon, qui maintenant connaissait la musique, s'empressa d'escamoter le sac de saint Winoc en y substituant un sac vulgaire et laïque.

★
★ ★

Ce qui résulta de l'aventure, vous le devinez : le petit homme, sur le soir, retourna à Uxem en zigzag, trébuchant sur les souches, roulant dans maintes fondrières, tant il y a qu'il ne pouvait plus dire « du pain » quand il réintégra le chaume conjugal. Comme il n'était pas coutumier de ces soûleries, il en fut tout honteux le lendemain matin ; mais il se remit néanmoins à la pensée qu'il avait dans son sac un instrument de réhabilitation tout-puissant. Comme si de rien n'était, il rassembla donc solennellement sa famille, et, prenant son sac dans sa dextre, il s'écria dans sa voix triomphante : « Mes enfants, nous allons déjeuner comme des princes : sac de saint Winoc, remplis-toi de tartines beurrées ! »

Hélas ! déception cruelle au cœur et à l'estomac, le sac continua à pendre, flasque et mélancolique, au bout du bras du petit homme, qui, après avoir renouvelé dix fois sa tentative et toujours en vain, fou de désespoir, le jeta à terre et se mit à le piétiner avec rage.

— C'est pécher pour rien, Joseph, observa judicieusement sa femme. C'est toi qui a fauté et non ce sac. Si tu n'avais pas riboté, on ne t'aurait pas volé, et nous posséderions le sac de saint Winoc au lieu de cette loque à torchons ! Pour ta pénitence, tu vas retourner te confesser et lui redemander conseil. Pourvu seulement qu'il veuille t'écouter encore !

À ce discours plein de raison, il n'y avait rien à répondre ; aussi le petit homme ne répondit rien. L'oreille basse et le ventre vide, il reprit la route de la ville et s'en fut frapper de nouveau au tombeau de son protecteur.

— Toc, au nom du Père ! Toc, au nom du Fils ! Toc, au nom du Saint-Esprit !

— Qui est là ? fit la voix souterraine.

— Excusez, grand saint, c'est le petit Ratenboel.

— Encore ! Ah mais, ah mais ! Tu commences à m'agacer, mon bonhomme ! On dirait vraiment qu'il n'y en a que pour toi...

Alors le pauvre diable, confus et contrit, tremblant de tous ses membres, prosterné devant ce confessionnal de pierre, avoua au bienheureux les mésaventures par l'effet desquelles il se retrouvait gueux comme jadis.

— Suffit ! lui répondit le trépassé. Bien que simple saint, j'ai déjà montré pour toi une patience d'ange ; néanmoins, en considération de ta bonne foi, je vais encore te faire un cadeau, mais note que ce sera le dernier. En définitive, le royaume des cieux n'est pas un bureau de placement... Le révérend abbé, mon successeur, a oublié sa canne, après complies, dans sa stalle, à droite, là, dans le chœur. Je te la donne. C'est un bâton de bonne qualité, car son maître est lourd. Avec cet instrument-là, tu ne craindras personne, car il suffit de lui dire : « Bois de saint Winoc, déplie-toi ! » pour qu'il se charge d'administrer une tripotée surnaturelle. Si tu ne refais pas tes affaires avec cela !...

— Que diable veut-il que je fasse de la crochette de monseigneur ? murmura Joseph tout décontenancé. Quelle drôle d'idée... mais quelle drôle d'idée !

Nonobstant, le petit homme alla prendre la canne de l'abbé dans l'encoignure de la haute stalle sculptée et sortit de la chapelle plus penaud que jamais, ne sachant comment tenir ce noble ustensile pour ne point prêter à rire ni passer pour un voleur. Heureusement, il ne rencontra personne, vu qu'à Bergues, en ce temps-là, sauf les jours de marché, on ne trouvait dans les rues que de l'herbe et des coulons [1]. Aussi, quand il arriva devant l'hôtellerie, songea-t-il à se remettre de ses émotions en fumant tranquillement une pipe ou deux.

— Eh donc ! s'écria l'infidèle aubergiste lorsqu'il vit entrer sa dupe ; où as-tu hérité d'une si belle canne, Ratenboel ? Est-ce encore saint Winoc qui te l'a donnée ?

— Ah ? oui, et c'est ça une triste affaire ! J'avais un beau baudet, on me l'a changé ; j'avais un beau sac, on me l'a volé ; et maintenant voilà que j'ai une canne... un pauvre paysan comme moi ! Enfin, à la grâce de Dieu ! Serrez-la dans votre chambre, maître, pendant que je fume ma pipe, et gardez-vous de lui dire : « Bois, déplie-toi ! »

— C'est entendu, Joseph ; je te la remettrai quand tu t'en iras.

Le petit homme, pensif, se mit à bourrer la pipe qu'il tenait de son ancien baudet, souvenir qui augmenta encore sa tristesse. « Quelle drôle d'idée ! » murmurait-il en saquant [2] sur sa pipe enfoncée dans la cendre rouge de la pelle à feu ; « mais quelle drôle d'idée ! » Et les yeux sur la bûche qui fumait dans l'âtre, il continuait à téter machinalement le bec de son instrument, lorsque tout à coup de grands cris accompagnés d'un branle-bas épouvantable éclatèrent dans la mai-

---

1. Pigeons.
2. Tirant.

son. Ce dont le petit homme fut si épouvanté qu'il en laissa choir sa bouffarde et sa pelle à feu.

Alors, il vit accourir l'aubergiste beuglant comme un veau, garant sa tête avec ses bras, ses bras avec ses mains, se tordant, se contournant, tandis que la canne de saint Winoc, voltigeant toute seule autour de lui, tricotant toutes les parties de son individu, travaillait consciencieusement à transformer sa chrétienté en chair à saucisse.

Le fripon n'avait mie de canne pour remplacer celle du seigneur abbé ; aussi s'était-il trouvé quinaud, ne sachant comment subtiliser le troisième talisman du pauvre Ratenboel. Ne pouvant se l'approprier, du moins avait-il voulu en tirer le profit possible pendant qu'il le tenait chez lui ; c'est pourquoi, à peine arrivé dans sa chambre, il lui avait dit en étendant les mains d'avance : « Bois de saint Winoc, déplie-toi ! » Le bois s'était déplié en effet, mais d'une façon qu'il n'attendait mie.

— Au secours ! Grâce ! Pitié ! Joseph, à moi !

Mais au lieu d'aller à son secours, Ratenboel riait comme un cent de bossus, sa petite trogne de souris fendue jusqu'aux oreilles, son petit bedon plié en deux tressautant à faire craquer ses chausses. Ah ! qu'il s'esclaffait de bon cœur, le petit homme ! Il avait enfin compris et les filouteries du gargotier et l'idée de saint Winoc, et il trouvait celle-ci tellement drôle en effet qu'il s'en crevait la panse, et il écrasait de ses gros sabots les morceaux de sa pipe sans seulement s'en apercevoir tant il rigolait ! Et sur le dos et sur les abattis de l'aubergiste la canne monastique continuait à faire et vlic et vlac, et pif et pan !

— Rends-moi mon baudet, voleur ! cria Joseph quand il eut fini de rire.

— Aïe ! Aïe ! Je suis mort !

— Rends-moi mon baudet !

— Aïe ! Il est à l'écurie ! Grâce !

— Va le chercher, fainéant ! Bois de saint Winoc, accompagne-le, ça lui donnera de l'activité !

L'hôte s'enfuit et revint en tirant le roussin par le licou.

— Et maintenant, délivre-moi ! supplia-t-il.

— Rends-moi mon sac ! répondit Joseph.

— Il est dans mon coffre.

— Va le chercher, sans cœur !

— J'ai perdu la clef.

— Tant pis pour toi !

— Aïe ! Aïe ! Miséricorde !

— Rends-moi mon sac !

L'hôte retrouva sa clef et rendit le sac. Le petit homme étendit son sac sur son âne, et se mit à califourchon sur son sac, après quoi il saisit le bâton de saint Winoc en disant : « Bois, replie-toi ! » Et il partit grand train par le chemin d'Uxem.

Ce qu'il advint par la suite, je m'en vas vous le dire en deux mots : l'aubergiste resta fripon et finit par être pendu par le cou sur la place du marché, à Bergues ; Joseph Ratenboel resta un bon petit homme, simple, joyeux et obligeant, et les grâces de saint Winoc l'ayant fait riche, il éleva si bien sa famille que l'un de ses arrière-petits-fils devint, dit-on, sous-préfet.

H. Verly

LE BARON DE RAGE

Vous qui ne croyez pas aux apparitions surnaturelles, écoutez cette histoire, et vous qui y croyez, écoutez-la aussi. Elle a l'avantage de ne contrarier les convictions de personne. L'homme qui me la raconta, à Douai, près du feu, entre deux bouteilles, un soir qu'il pleuvait, n'était pas le premier venu ; de plus, il l'avait apprise d'un certain moine défroqué d'une abbaye voisine, lequel la tenait lui-même par tradition monastique d'une longue succession d'autres moines non défroqués, dont plusieurs exhalent un parfum de sainteté. Je ne vois donc pas pourquoi elle ne ferait pas frissonner, tout comme une autre.

Or, voici ce que mon amphitryon, la main à plat sur le pied de son verre, me raconta pendant que l'averse battait les vitres et que le vent gémissait lugubrement dans la cheminée.

Devers l'an mil cinq cent trente-cinq, y avait-il dans toute la chrétienté un seul vivant, un seul, noble ou vilain, clerc ou manant, qui ignorât que l'illustre maison de Rache portait d'or à trois chevrons de sable ? Non évidemment, semblable chose n'était pas possible. Un bon gentilhomme pouvait et devait même ne point savoir écrire, un clerc pouvait outrager la grammaire latine, un milicien bourgeois mettre sa cuirasse à l'envers, un manant confondre dextre et senestre ; mais il était bien clair que rien de ce qui advenait à ou de l'antique lignée qui, sous les noms successifs de Rascia, Raisce et Rache, remontait jusqu'aux premières brumes de l'histoire, ne pouvait laisser indifférent quiconque avait été baptisé. Telle était du moins la conviction indéracinable de haut et puissant Guillaume de Saint-Simon, baron de Rache, lequel estimait aussi que les chevaux de ses écuries, comme les chiens de son chenil, se sentaient particulièrement honorés de sa domesticité, et que les cigognes savaient bien ce qu'elles faisaient en revenant nicher chaque année sur les hautes tours de son castel. Il tenait enfin pour certain que la Providence avait des raisons spéciales de lui refuser toute descendance, malgré ses deux hymens successifs, et que, pour excuser pareille injure de la part du Très-Haut, il fallait que quelqu'un de ses ancêtres eût commis une incongruité quelconque devant la majesté divine. C'est pourquoi il avait décidé, après mûre délibération avec lui-même, de s'en aller le dire à Rome, à l'effet de mettre dans ses intérêts le saint-père Paulus tertius, et de négocier avec Dieu par son intermédiaire la levée de l'interdit qui pesait sur la noble maison de Rache.

Dans les abbayes de bailliage de Douai, lesquelles étaient nombreuses et grasses, il ne se trouva ni abbé ni moine pour dire à cet outrecuidant : « Homme, tu as péché par orgueil, tu seras puni par où tu as péché ! » Tout au contraire, le révérendissime prieur de Saint-Amand approuva si bien son dessein, qu'au lendemain des Pâques, les parents, alliés, amis et officiers du sire de Saint-Simon étaient réunis en grande affluence dans la salle d'apparat de son castel pour célébrer comme il convenait le départ du maître de céans. Dans les cours où piaffaient les coursiers, les bêtes de somme et les mules de litière, s'agitaient pêle-mêle les écuyers et hommes d'armes chargés d'escorter le glorieux pèlerin et ceux à qui la garde du logis allait rester confiée, les pages qui d'avance bâillaient d'ennui et les damoiselles non moins déconfites qui devaient suivre la châtelaine. Car le sire, qui n'entendait mie laisser sa jeune épouse exposée aux entreprises des galants d'alentour et aux suggestions d'une solitude morose, avait décidé qu'elle passerait dans une pieuse retraite au monastère de Flines les quatre mois que devait durer son absence.

Le seigneur de Rache, il faut le reconnaître, avait quelque motif de regretter, pour sa tranquillité particulière, les appareils protecteurs qui avaient été à la mode au temps des Croisades. Il n'était plus jeune, ne ressemblait guère au bel Adonis ; il n'était point de manière aimable, ni de bel esprit. Grand, osseux, robuste, hautain, brutal, les cheveux grisonnants, le visage déplaisant et sombre, il était meilleur pour la guerre que pour l'amour. La belle Alix du Forest, qu'il avait épousée cinq années auparavant, était bien, en revanche, la plus admirable baronne du pays de Flandre. Toute blanche et rose, avec une fossette à chaque joue, des yeux de velours brun et deux tresses blondes tombant jusqu'à ses genoux, elle était gracieuse à l'infini, avenante et bonne comme si elle n'avait pas été titrée. Aussi ses gens l'aimaient-ils plus encore qu'ils ne redoutaient son époux, et il n'était muguet, bachelier, escholier, jouvenceau de tout état, à Douai, à Lille ou autres lieux voisins, qui ne se vantât d'en être amoureux. Donc, encore que nul d'entre eux n'eût pu rien articuler sur le compte de cette grande et honneste dame, je suis sûr qu'aucun mari sur terre ne blâmera peu ni prou la précaution de son confrère.

*
* *

Pendant toute une année, le château de Rache était demeuré clos et silencieux ; depuis une année, la Scarpe, dont il commandait le passage et dans les eaux de laquelle il baignait le pied de ses tours, n'avait reflété dans son miroir sombre ni les replis d'une oriflamme, ni la plume d'une toque, ni le rayon joyeux d'une fenêtre illuminée. On aurait dit l'un des palais de la Belle au Bois dormant.

En pareille conjoncture, le prince Charmant n'a pas coutume de se faire longtemps attendre, comme chacun sait.

Un beau jour de printemps se réveilla le castel endormi. Sa porte bâilla, montrant les dents de fer de sa herse levée ; il ouvrit les paupières de ses fenêtres ; la bannière noire rayée d'or ondula sur son donjon, comme un panache sur le casque d'un chevalier. De ses lourdes assises aux chimères de ses gargouilles, le gothique édifice se mit à retentir des babils, des chants et des rires de la jeunesse.

Le sire de Saint-Simon était-il de retour, ou bien un héritier inespéré était-il né par miracle à la maison de Rache ? Point. La belle baronne seule était rentrée au manoir. Lassée d'attendre au milieu des nonnes le bon plaisir de son époux, dont on n'avait plus ouï parler depuis tantôt dix mois et que le sens public considérait comme consciencieusement occis par les routiers qui pullulaient pour lors en Italie, elle avait octroyé de grandes sommes aux églises et moutiers à l'effet de perpétuer des messes pour le trépassé, et elle s'en était venue reprendre dans son bon château sa belle vie de princesse.

Il convient de dire ici qu'à l'époque où Alix avait quitté le domaine paternel du Forest pour suivre au castel de Rache le baron, son époux, elle avait remarqué, en tout bien et honneur, un jeune valet d'armes qui, par sa bravoure, sa clergie, son habileté dans la gaie science, sa bonne tournure, ayant mérité bientôt après d'être élevé aux fonctions

d'écuyer, fut attaché spécialement à la personne de la châtelaine. Gérard était jouvenceau presque aussi beau que le
divin Apollon dont il maniait dextrement la lyre, et il arrivait fréquemment que la baronne le requît pour charmer
par ses chants les loisirs des monotones journées ou pour
augmenter les attraits de quelque somptueux festin. Or,
depuis le départ du sire pour la capitale de la chrétienté,
l'écuyer-ménestrel avait à peu près seul joui du privilège de
pénétrer librement dans le monastère auprès de la noble
recluse ; et dans la seconde année du veuvage, sa faveur
grandit au point que les gens d'armes et de maison commencèrent à le regarder comme leur futur seigneur,
quelque extraordinaire que fût une si grande fortune pour
un ancien valet. Partout il suivait la belle Alix, aux fêtes
comme à la chasse ; il passait les journées entières et une
partie des nuits à ses côtés en doux entretiens, ou à chanter
à ses pieds en s'accompagnant de son luth. En vain, les plus
hauts seigneurs d'alentour, plus séduits encore par les

charmes que par les richesses de la noble veuve, affluèrent au castel de Rache ; pour l'amour de son gentil poète, la baronne évinça tous les prétendants, et ce ne fut point en leur faveur qu'après deux ans révolus, elle réclama de son suzerain, le comte de Flandre, la reconnaissance de son droit de veuvage et les bénéfices y attachés.

*
* *

Un samedi soir, les deux amants devisaient tendrement, suivant leur coutume, dans la galerie qui précédait leur future chambre nuptiale.

Durant le jour, la chaleur avait été accablante, et, malgré l'approche de la nuit et le voisinage de l'eau des douves qui baignait le pied des colonnettes de la fenêtre, nulle fraîcheur ne pénétrait par le vitrail ouvert. Sous les rayons pourpres du soleil couchant, les blonds cheveux d'Alix s'enflammaient comme une auréole autour de son gracieux visage ; une longue robe blanche flottante l'entourait de ses plis légers, laissant découverte la douce chair de son cou, de ses épaules et de ses bras.

— Tu es belle comme une apparition du ciel, murmura Gérard enivré.

— Tu blasphèmes, cher impie...

Un mot dans un baiser lui ferma la bouche : « Je t'aime ! »...

La nuit était tombée pendant ces extases ; le moment était venu de se séparer, et la châtelaine se disposait à siffler ses femmes. Gérard s'agenouilla devant sa vivante madone, lui prit les mains qu'il posa sur son cœur et tendit ses lèvres au baiser d'adieu. À cet instant même, une ombre farouche se dressa derrière eux dans la baie de la fenêtre ouverte, un homme bondit dans l'appartement, et un vague éclair d'acier traversa le crépuscule : Gérard poussa un gémissement et s'affaissa sur les genoux mêmes de sa compagne, qui se sentit pénétrée d'une buée âcre et chaude. Atterrée, éperdue de douleur et d'épouvante, Alix s'évanouit.

Quand elle reprit ses sens, le blafard rayonnement de la lune lui montra le cadavre de son fiancé reposant encore sur ses genoux, et, debout devant elle, un personnage sinistre ayant au poing une dague dégouttante de sang : c'était le vieux baron de Rache.

L'infortunée, dans un transport affolé, roidit les bras, croyant voir un spectre. Le meurtrier prit ce mouvement d'horreur pour l'aveu et la prière d'une coupable ; il saisit d'un geste brutal ce bras délicat, attira violemment sa femme, qu'il souffleta du revers de sa main armée, foula aux pieds le corps du jeune homme tombé sur le sol ; puis allant tirer un pic de fer du bateau qui l'avait traîtreusement amené, il dit d'une voix étranglée par la fureur :

— De vos propres mains, femme sans foi ni pudeur, vous ensevelirez ici, sous ces dalles, ce serviteur félon et la preuve du déshonneur de ma maison ! Demain, le baron de Rache rentrera dans ses domaines au grand jour et son blason lavé !

Ce fut un grand émerveillement dans la contrée, quand on apprit que le seigneur trépassé était revenu dans son château. D'abord on n'y voulut point croire, mais il fallut bien se rendre quand on le vit en chair et en os, plus vieux, plus sec, plus brutal, plus hautain que jamais. Bientôt le récit de ses aventure se répandit : on sut qu'il avait été attaqué par des malandrins dans les montagnes d'Italie, que son escorte avait été massacrée, lui-même blessé et emmené captif, puis délivré longtemps après contre une rançon qu'il était parvenu à emprunter ; qu'enfin il avait regagné à pied, en vrai pèlerin cette fois, la ville de Douai, où il était demeuré caché. Comme on ne s'expliquait guère ce mystère, on voulut savoir davantage ; on s'inquiéta de la disparition du bel écuyer, on s'enquit de la cause qui, depuis le retour du sire, retenait la baronne confinée dans ses appartements... Tant et si bien que — ne sais comme, soupçons, conjecture ou indice — les détails de la nuit d'horreur transpirèrent un à un au-dehors. Dès lors, le baron de Rache vit le vide se faire autour de lui : nul hôte noble ne franchit plus le pont du castel, et la vindicte populaire lui attacha au dos ce sobriquet cruel : *baron de Rage.*

Ainsi traité, celui-ci n'avait plus qu'à quitter le pays, ce qu'il fit pour aller résider dans un autre de ses domaines, proche de Namur, où la triste Alix ne tarda point à rendre sa blanche âme à Dieu.

Un événement extraordinaire devait apprendre ce malheur aux gens du château de Rache : la nuit même où mourut la noble dame, ils furent réveillés par des clameurs lamentables qui retentissaient dans la chambre du crime. Leur émoi fut extrême quand ils reconnurent la voix de la baronne appelant son fiancé. Ils entendirent ensuite le son d'un luth accompagnant la ballade favorite de l'écuyer assassiné, puis les spectres des deux amants réunis dans la mort se mirent à pousser des gémissements plaintifs qui durèrent jusqu'aux premières lueurs du jour. Le lendemain, le chapelain osa pénétrer dans le lieu maudit, et ses cheveux se hérissèrent lorsqu'il constata qu'une des dalles du pavé avait été remuée pendant la nuit. Sur son avis, la pièce fut condamnée, après avoir été purifiée à l'eau bénite ; les portes en furent barrées pour toujours, et personne n'approcha plus de la *Salle du valet.* Mais ces précautions furent inutiles ; chaque semaine, les mêmes lamentations d'outre-tombe continuèrent à troubler la nuit du samedi au dimanche.

Messire de Haverskerque, qui hérita de la seigneurie de Rache à la mort du baron sans postérité, fit doubler les huis de la galerie hantée, de sorte que, même en appliquant l'oreille aux fentes, on n'entendit plus guère que des murmures étouffés. C'est dans ces conditions que le castel de Rache se transmit de génération en génération.

Le narrateur se tut. Sa parole était devenue grave. Les bûches du foyer grisonnaient sous la cendre, et les lumières clignotaient. Dehors, tout était silencieux : le vent et la pluie avaient cessé.

— Une étrange histoire ! dis-je en regardant machinalement les bouteilles vides. Et personne n'a sondé ces mystères ?

— Si vraiment, répondit mon hôte d'une voix contenue, et ces entreprises audacieuses ont été soigneusement notées. La première eut lieu sous Louis XIV, en l'année 1760. Une demi-douzaine de jeunes officiers résolurent de passer la nuit ensemble à boire et à jouer dans la galerie macabre. Ils y était déjà attablés, et Dieu sait ce qu'il serait arrivé, si...

— Si...?

— Si l'on n'était venu les avertir de vider incontinent le lieu, l'armée en retraite se disposant à faire sauter le château.

— Diable !

— Oui. La seconde tentative fut faite sous la Régence, la mine ayant épargné l'aile fatale. Un talon rouge fameux, le comte de Létorières, piqué au jeu par une galante beauté, s'engagea à y demeurer une nuit sans autre arme que son épée.

— Eh bien ?

— Eh bien, il se trouva que la porte de la galerie avait été murée par je ne sais qui, et que pas un ouvrier du pays ne consentit à la déblayer, ni pour argent ni pour or ; de sorte que le comte s'en retourna bredouille.

— Après ?

— Après, un petit-neveu de l'intendant des Flandres, le jeune marquis de Lésignan, paria de mener à bien le projet de Létorières ; il arriva de Lille avec ses propres domestiques armés de pioches, qui, sous ses yeux, jetèrent bas la maçonnerie. Mais il avait compté sans la vétusté de l'escalier, qui, déjà ébranlé par la mine, s'effondra tout à coup sous le poids des démolisseurs et des décombres. Le marquis s'y cassa les deux cuisses, et ses domestiques furent plus ou moins assommés.

— Est-ce tout ?

— Non. Les deux derniers essais furent tentés par un même homme, un officier des volontaires de 1792. Il faisait partie des détachements envoyés au secours de Lille, et s'était arrêté avec sa troupe à l'auberge du Pont-à-Raches, où un ancien moine qu'il interrogea sur les ruines pittoresques qu'il apercevait, lui raconta mot pour mot ce que je viens de vous redire. Il prit feu aussitôt et jura qu'il irait demander aux deux fantômes leur certificat de civisme. La fatalité voulut que la municipalité de Douai eût réquisitionné toutes les échelles pour empêcher les Kaiserlicks de les utiliser à leur profit, et comme notre homme partait le lendemain au point du jour, il n'eut pas le loisir d'obvier à ce contretemps. Mais il promit de revenir et tint parole...

— Enfin !

— Seulement, quand il revint, cinq ans plus tard, les derniers vestiges du château maudit avaient été rasés de fond en comble, et l'emplacement vendu comme un bien national...

Ici mon hôte donna un coup de pied dans les bûches, qui recommencèrent à flamber, moucha les chandelles, qui se remirent à briller, tira de dessous la nappe une troisième bouteille, qu'il attaqua de son tire-bouchon, et reprenant sa voix naturelle, qui était sonore et sarcastique :

— De sorte, ma vieille branche, qu'on n'en a jamais pu savoir et qu'on n'en saura jamais le fin mot.

H. VERLY

UNE HISTOIRE D'OREILLES

ou les aventures d'un prince de Bourgogne qui aimait bien la bière

Ma grand-mère, qui était d'Anvers, savait bien raconter une légende qu'elle avait entendue à Olen, où elle allait passer ses vacances, chez ses cousines, quand elle était jeune.

En voici à peu près la traduction, car elle parlait plus flamand que français.

Il y a longtemps, Olen n'était qu'une bourgade entourée de bois touffus où les seigneurs venaient chasser.

C'est ainsi qu'un jour, particulièrement chaud, Charles Quint s'en fut chasser dans les bois d'Olen.

Son cheval étant fatigué, et son gosier sec, l'Empereur arriva près de l'auberge *In de Zwarte Stier* [1] qui était établie dans une clairière.

Laissant ses compagnons à l'écart, il s'y arrêta, avec l'intention d'y commander, et surtout d'y boire, une bonne bière du pays, mais sans trop se faire remarquer.

---

1. Au taureau noir.

Les seigneurs étant habituellement généreux, surtout quand il s'agissait d'apaiser leur soif, l'aubergiste s'affaira, retirant prestement son bonnet, au-devant du cheval, qu'il mena par la bride jusqu'à la lourde table sous les arbres. Il fit signe aux habitués d'aller chahuter un peu plus loin.

« Baas [1], une bonne pinte, et bien fraîche, car il fait rudement soif dans notre pays », commanda Charles Quint.

À sa grande stupéfaction, il reconnut l'image de l'Empereur qui, dans un cadre, ornait le dessus de son comptoir :

« Keizer Karel ! » bredouillait-il, abasourdi, les mains triturant son bonnet devant le tablier à poche qui tenait son gros ventre de bon patron d'auberge. Il resta là, muet, les yeux rivés sur le visage de l'Empereur.

« Alors ? cette pinte », tonitrua le cavalier... ce qui eut pour effet de déclencher le branle-bas général.

« Bazine, vite à la cave, rapporte de la bière, de la bonne, du tonneau du fond !... Alors, t'es pas encore revenue... le Keizer attend, voyons ! »

Il courut lui-même, en essuyant ses mains à son ventre, vers une vieille armoire en orme, fermée à clef, qui se cachait au fond de la grande salle.

Il en sortit, avec beaucoup d'égards, quelque chose qui devait être une relique... c'était son trésor : une grande chope en terre cuite, glacée au sel, toute ciselée, avec un fond à bourrelet, un bord mince et lustré comme une lèvre, et une poignée décorée, digne de la main d'un grand seigneur... enfin, une maîtresse chope d'au moins trois pintes, qui brillait de toute la moire de sa couleur violette, quand son propriétaire passa avec elle devant l'âtre.

La bazine attendait déjà, avec son broc d'étain bien rempli et posé sur la table.

---

1. Patron.

Avec un linge bien proprc, elle essuya la précieuse chope, au-dedans et au-dehors, sans oublier le manche, aidée des recommandations de son mari, qui ne tenait plus en place.

À la terrasse, le knecht [1] bouchonnait le cheval de l'Empereur ; ça le faisait patienter, et c'était aussi de bon usage, et c'était l'occasion, pour le valet, de se faire un bon petit pourboire. Un domestique a aussi quelquefois soif !

Le baas versait maintenant la bière dans la chope. Il y allait doucement, le long du bord. En bon aubergiste, il savait comment ne pas faire de mousse, surtout pour le Keizer qui, en plus, portait une barbe. L'Histoire, dit-on, ne se répète pas deux fois, et c'eût été malséant d'avoir un deuxième empereur à la barbe fleurie.

Saisissant précautionneusement la chope par l'oreille, il porta son chef-d'œuvre à petits pas et le présenta à l'illustre client.

L'Empereur ne bougeait pas, il regardait la bière, puis l'homme, puis encore la bière, puis à nouveau le patron qui commençait à devenir tout pâle, car il se demandait quoi !

Enfin, le Keizer Karel sourit et dit doucement au porteur

---

1. Valet.

de chope : « Tu es un bon aubergiste, je le reconnais volontiers, mais, la prochaine fois, tu te serviras d'un pot avec deux oreilles, que je puisse l'attraper ! »

Le baas devint aussi rouge qu'il était blême auparavant. Avec sa bazine, qui le suivait à un demi-mètre derrière, il commença un ballet, à seule fin de retourner la poignée, sans renverser de la bière, vers un si bon client.

Pendant cet exercice délicat, il bredouillait l'excuse : « Que le Seigneur avait raison, qu'il ne devait pas voir là mauvaises intentions, et qu'il promettait un pot à deux oreilles, à l'avenir ».

Le Keizer put enfin boire sa pinte. Ayant compensé largement le dérangement, il dit avoir l'envie de revenir, à l'occasion, car « il n'avait jamais bu d'aussi bonne bière, et d'aussi bon cœur »... et ça devait être vrai, car c'est comme quand on a envie de pisser, plus on a dû attendre, et meilleur c'est.

Quelque temps après, l'Empereur Charles se représentait en effet à l'enseigne du Zwarte Stier.

L'aubergiste s'affaira, comme à son habitude et, fier comme un stront, il amena une chope, encore plus belle que la première, et avec deux oreilles cette fois.

Mais voilà, dans son trouble, il présenta la bière en tenant la belle chope par les deux anses !

L'Empereur eut beaucoup de patience ; le baas se rendit compte enfin de sa bêtise et, devenant rouge comme une tomate, il dut se retenir pour ne pas souiller son broek [1].

Pour finir, tout rentra dans l'ordre, mais le Keizer Karel, en partant, conseilla « een derde oor aan de pot te laten zetten »... mettre au pot une troisième oreille, ce qui fut promis sur-le-champ.

Pris de curiosité, l'Empereur repassa un mois plus tard,

---

1. Pantalon.

pour boire à nouveau une pinte, mais pour voir aussi si la leçon avait porté.

Le baas, bien docile, n'avait pas voulu contrarier un aussi bon client ; aussi avait-il fait confectionner une magnifique chope, plus belle encore que les deux autres réunies, et avec trois oreilles !

Plein d'assurance, il la tendit à l'Empereur, en la tenant par les deux anses, car elle était lourde, mais il n'avait pas fait attention : la troisième oreille était appuyée contre sa poitrine !

Tout autre personnage de la qualité du Keizer se fût mis en colère ; mais Charles Quint n'était pas comme ça.

Quand l'ordre des choses fut rétabli, qu'il eut bu sa bière, encore meilleure que d'habitude, il paya largement, avec les félicitations d'un connaisseur, puis repartit avec ses compagnons de chasse.

Il voyait ça comme un jeu, et c'est en riant qu'il lança, en piquant son cheval « dat het nuttig zou zijn, een vierde oor aan de kan te laten zetten [1] ».

« Jak, Keizer Karel ! excusez encore, et merci... »

C'était promis, et ce fut fait ! et Keizer Karel repassa une quatrième fois au Zwarte Stier.

Cette fois, il put bien saisir sa pinte... Ce fut autre chose quand il fut question de boire !... Il ne savait pas par quel côté attaquer, avec ces oreilles qui gênaient tout le tour, et sa barbe qui n'arrangeait pas.

Alors, tout le monde rigola, même l'aubergiste qui commençait à considérer Karel comme un vieux client. Et Karel ne fut pas le dernier à rire de l'aventure.

Il paya à la ronde une tournée générale, de la meilleure bière, et fut très satisfait, pour cette occasion, d'une chope ordinaire.

Quand il paya, le patron de l'auberge fut encore plus satisfait.

---

1. Qu'il serait utile d'ajouter une quatrième oreille au pot.

L'histoire fit grand bruit à Olen et Charles Quint devint un habitué du Taureau Noir — enfin, entendons-nous, car il avait quand même d'autres sujets à voir. Quand il venait à la chasse, il amenait régulièrement les seigneurs de ses amis.

C'était chaque fois l'occasion de bien rire et de boire à tour de rôle dans le Drie oren pot [1], qui trônait (pardon, Keizer Karel) en bonne place sur le comptoir.

Quand à la chope à quatre oreilles, elle fut reléguée au fond de la vieille armoire en orme, qui fermait à clef, et qui se cachait au fond de la grande salle.

C'était la meilleure chose à faire, car une chope dans laquelle on ne sait pas boire, ce n'est pas une chope.

Keizer Karel doit encore en rire dans sa bière (je veux dire son cercueil, il ne faut pas confondre) ; ce doit être là le seul événement important de sa vie dont il doit se souvenir ; tout le reste ne vaut-il pas une pinte de bon sang, une pinte de bonne bière que le prince de Bourgogne, pourtant pas privé de vin, venait savourer à l'auberge portant l'enseigne In de Zwarte Stier.

Dieudonné COPIN

---

1. Le pot aux trois oreilles.

LE MEUNIER ET L'ANNEAU

Le 18 juillet 1682, il y avait grande effervescence dans les caves de la brasserie du Tonnelier, sur le port d'Hazebrouck.

C'était la Saint-Arnould, et toute la corporation des brasseurs était en fête, en l'honneur de leur Saint Patron.

Il n'y avait pas que les brasseurs ; en effet, quand il s'agissait de boire et s'amuser, tous les amis étaient invités, et ils ne se privaient pas, la bière étant gratuite ce jour-là.

On y voyait surtout les habitués du port : les bûcherons de la forêt de Nieppe, les bâteliers, les passeurs, et les quinze ou vingt meuniers, dont les moulins s'égrenaient le long du canal.

Les meuniers étaient de bons clients de la cave, parce que, sédentaires, ils avaient plus souvent l'occasion de s'y attarder.

Ce jour-là, deux garçons meuniers, qui avaient bien fait honneur à saint Arnould, firent gageure de passer dans l'un des gros anneaux de fer qui, ancrés solidement en terre, le long du canal, servaient à l'amarrage des bateaux.

L'idée ne leur était pas venue toute seule ; les deux compères disaient avoir vu feu leur père réaliser l'exploit plusieurs fois.

La suite de l'anecdote montre bien qu'il est indigne de

pères et mères de montrer le mauvais exemple à leurs enfants.

Voilà donc l'un des deux, nommé Cornil comme tout meunier fils de meunier, qui passe des paroles à l'acte, enfilant la tête, puis les bras, et s'attaqua au ventre. Mais, la bière y étant probablement pour quelque chose, le ventre s'enfla des deux côtés de l'anneau, et tous les efforts furent vains pour s'extirper de cette position, ni en passant ni en repassant. Cornil resta prisonnier.

Son acolyte, pris de remords et de panique, entra, tout essoufflé, à la brasserie, et en deux mots mis l'assistance au courant de l'incident.

Évidemment, tout le monde voulut voir, et ce fut la ruée vers le quai, près de Cornil qui n'en menait pas large.

À tour de rôle, et même par équipes de deux ou trois, les plus actifs essayèrent de dégager le malheureux qui geignait et commençait à trouver sa situation inconfortable ; il n'était pas très fier de son exploit, et les quolibets n'étaient pas faits pour le réconforter.

À sept heures du soir, on le vit bien mal, et les railleries faisaient place à un certain désarroi parmi le peuple. Le brasseur, tout décontenancé, avait fait apporter de la bière, des voitures de passage s'arrêtaient pour s'enquérir.

Quelques dévotes, attirées par l'instinct, ou peut-être par une grâce particulière, furent inspirées par la charité, et demandèrent que l'on allât quérir les deux maîtres serruriers de la ville d'Hazebrouck, qui habitaient, l'un au marché aux chevaux, l'autre au marché aux juments. Elles avaient auparavant délégué l'une des leurs pour chercher un prêtre, afin de soutenir et aider de ses prières le malheureux prisonnier.

On ne riait plus ; il était maintenant huit heures du soir ; les dévotes priaient : ce qu'il souffre ! il se meurt ! il semble trépassé ! non, il bouge encore !

En réalité, le faiseur de paris se tortillait affreusement, tout comme un ver de terre surpris par l'eau de lessive.

Quelques bons samaritains étaient allés chercher des seaux d'eau au canal, et aspergeaient le meunier en géhenne et atténuaient ainsi ses douleurs, qu'accentuaient les efforts, la position inconfortable, et par-dessus tout la chaleur étouffante de cette fin de journée de juillet.

Avec leurs burins et de lourds marteaux de forgeron, les maîtres serruriers, qui se relayaient constamment à l'ouvrage, finirent par libérer le patient impatient, en coupant l'anneau, puis en l'ouvrant avec du matériel à eux qu'il fallut encore aller chercher à l'atelier.

L'homme fut relevé. Bien que sa peur, ses sueurs froides et les efforts aient fait disparaître les effets de l'excès de bière, il ne tenait plus debout sur ses jambes, alors qu'habituellement il grimpait comme un chat à l'échelle du moulin.

On fabriqua une civière de fortune, que l'on suspendit aux

chaînes de deux jougs à porter les tonneaux, et le cortège accompagna le rescapé jusqu'au moulin où il dormait d'habitude. Quelqu'un était allé chercher le praticien, qui soigna consciencieusement le ventre tuméfié et entaillé par les bavures de l'anneau que l'on coupait.

Le confesseur était là, au chevet de son paroissien dans la souffrance, il le veilla toute la nuit.

Les moulins, tournés en signe d'affliction vers le confrère qui souffrait, se remirent dans le vent, et reprirent leur tic-tac, quand la figure du héros parut, avec un maigre sourire, à la porte de son habitacle, vers quatre heures de l'après-midi du lendemain.

La Saint-Arnould était passée, une Saint-Arnould mémorable.

Toute la ville d'Hazebrouck, et même toute la région, a su ce que je viens de raconter. L'anneau du port devint une relique ; personne ne s'avisa de le ressouder, et les bâteliers ne s'y accrochaient plus jamais, tant par vénération que par prudence.

Actuellement, l'anneau n'existe plus, ou bien il est enterré avec son histoire. N'existent plus d'ailleurs le quai, le port, la brasserie du Tonnelier, ni les moulins qui dominaient le quartier. Cependant, nous avons, en gage de souvenance, la rue du Rivage et la rue du Pont-des-Meuniers ; prenons garde de ne jamais les débaptiser.

Dieudonné Copin

UNE HISTOIRE DE SAVATES

Il y a très, très longtemps, un moulin à farine tournait déjà au Mont-Noir.

C'était l'un des plus impressionnants de la Flandre. Sa tour tronconique était construite en dalles ferrugineuses du Mont, assemblées par un mortier de chaux vive et de gravier ; tous les douze lits de pierre, un cordon d'éléments tubulaires, comme on n'en rencontre que dans ce sol sableux, donnait à la construction, avec l'action du vent, un assèchement remarquable des murailles. Une charpente, à toute épreuve, soutenait une calotte tournante, recouverte de paille cousue à l'osier, par couches alternées avec de l'argile, l'ensemble absolument étanche. Des ailes immenses, tendues de toile orientable, rappelaient que les charpentiers de moulins savaient comment maîtriser et soumettre le vent. Il est vrai que l'on ne construisait pas des moulins tous les jours, et que leurs talents s'appliquaient le plus souvent à la marine à voile. Un arbre de chêne, superbe colosse et œuvre de sculpteur, transmettait la vie à tout appareil d'engrenages en cages à poules et taquets, tout en bois, qui manœuvraient les accessoires de cette usine du Moyen Âge : tourniquet, frein, poulies, treuil pour les sacs, sas et trémies, autour du poinçon, arbre vertical qui soutenait les meules.

Le pied du moulin servait de réserve, d'entrepôt, et de chambre au mulet.

Au sud-est s'appuyait une petite chaumière, trapue comme l'ensemble ; c'est là que le meunier faisait sa popote et venait dormir.

Le maître de ce moulin était l'un des plus importants personnages de la région. Par un privilège exceptionnel du seigneur de Bailleul, qu'il devait à un haut fait d'un ancêtre, il était propriétaire des lieux, enclave respectée dans les terres du château.

Il aurait dû être un meneer[1] et même un Meynhere[2], mais, s'il était très riche, il était aussi célibataire et très avare, en commençant par sa propre personne.

Depuis toujours, on le connaissait ainsi : sans âge ; la calvitie de son sommet était compensée par une abondante pilosité du menton, qui traînait une barbe toujours en bataille. Deux petits yeux malins, et un nez plus gros que la moyenne et curieusement aquilin lui donnaient l'air d'un pirate. C'était assez drôle, dans l'ensemble, et on aurait mieux compris sa tête en faisant le poirier. Par une erreur de la nature, il était né la tête à l'envers.

Riche, il l'était, comme tous les meuniers qui se rémunéraient au miroir. C'était l'usage : un petit miroir d'étain poli, fermé par un volet quand il ne servait pas, car il avait coûté très cher, se trouvait près de la sortie des sacs de farine. Le meunier puisait dans chaque sac de farine ce qui lui servait de salaire, et chaque pelle retirée était versée dans sa réserve personnelle, qu'il revendait à son compte. À chaque prélève-

1. Meneer : monsieur.
2. Meynhere : Monsieur.

ment, le meunier regardait dans le miroir, et il s'arrêtait quand il voyait que son visage devenait rouge de honte.

Staf, c'est ainsi qu'il s'appelait, parce que Gustave, c'était trop long à dire, possédait aussi, entre autres, un petit moulin à huile de noix, à Outtersteene. Comme il s'en occupait aussi lui-même, il avait, au contact des noix, une peau brune et huileuse, et le rouge ne s'y voyait que très tardivement ; voilà pourquoi il gagnait bien sa vie.

Son habillement reflétait l'homme. Son gros pantalon de toile aurait pu tenir debout tout seul, et on s'était toujours posé la question de savoir comment il faisait pour le baisser, en cas de besoin.

Son vieux bourgeron était de la même famille. Mais le plus remarquable, c'était une paire de savates qu'il traînait depuis qu'on le connaissait.

Je dis des savates, c'étaient plutôt des galoches, et encore, je ne sais pas comment on pourrait nommer ces grosses semelles de cuir, reliées au-dessus du pied par une grosse toile, sans quartier ni talon. Ces semelles étaient cloutées et recloutées de daches, autre mot dont je ne connais pas d'équivalent.

Ces savates — on ne peut pas dire escarpins — étaient à elles seules un monument. Quand on parlait de Staf, on pensait automatiquement à elles, au point qu'on l'appelait plus communément Staf, tant la relation était puissante.

Ces savates allaient devenir célèbres, et c'est leur rocambolesque destinée que je me suis mis en tête de vous raconter.

Ce mot savates m'embarrasse ! peut-être des godasses ? ça ressemble, et encore ! je crois que la meilleure représentation que l'on puisse se faire est donnée par des vieilles babouches que l'on voit à l'entrée des mosquées ; mais la comparaison serait peut-être déplaisante aux disciples du prophète.

Quoi qu'il en soit, ces savates-godasses-babouches allaient entrer dans la légende, au cours d'une année particulièrement favorable pour le meunier : un été comme on n'en fait plus avait permis des récoltes superbes, les épis étaient lourds et serrés, et, d'autre part, les noix étaient deux fois plus grosses et plus nombreuses qu'à l'accoutumée.

Pour comble de fortune, pour Staf évidemment, le moulin du Mont des Cats avait vu ses ailes s'envoler et n'était pas en état de servir, ce qui faisait un afflux supplémentaire de blé à écraser au Mont Noir.

Le miroir étant moins sévère dans cette abondance, Staf avait vu croître sa fortune d'un seul bond. Bien qu'il n'aimât pas sortir ses économies, il lui fallut pourtant payer les impôts au seigneur de Bailleul, et il se rendit au château pour satisfaire cette obligation. Sa caisse remplie de pièces d'or, bien amarrée sur une brouette et escortée de deux gens d'armes que l'intendant lui avait délégués pour la circonstance, il se trouva devant le disciple de Matthieu, assis à une grande table, où l'on empila, compta, pesa et inscrivit quelques bonnes heures.

Le receveur des impôts souriait, d'abord pour la bonne journée, qui fit date dans les annales, mais encore en considérant l'accoutrement misérable de son fournisseur.

« Allons, allons, Staf, tu ne vas pas me dire que ta tenue est convenable, et d'abord, tu ne dois pas prétendre que se laver coûte trop cher. Tiens, j'en ai parlé à mon Maître ; il te connaît bien et t'admire quelques fois, et il voudrait bien que tu profites une bonne fois d'une des salles de bains du château. Regarde tes pieds ! qu'est-ce que c'est que ces savates ; si tu veux bien prendre un bain, pour une fois dans ta vie, je ne sais même pas s'il ne serait pas disposé à t'offrir des nouvelles chaussures. »

Staf, bien que récalcitrant devant la perspective de se laver, repartit que ses chaussures lui convenaient très bien, qu'il y était habitué... mais qu'il ne voulait pas contrarier les aussi bonnes dispositions du Seigneur à son égard.

En réalité, il lui semblait que le marché lui profitait : pensez donc, des nouvelles chaussures, pour rien !

Notre meunier entra donc dans la salle de bains, toute carrelée de terre cuite, un palais dans un palais ; il laissa ses savates à la porte, calculant que ce n'était pas ici qu'on les lui volerait et que, de toute façon, il en aurait bientôt des nouvelles.

Comment il enleva son pantalon ? La pudeur des domestiques fit en sorte que le mystère resta entier.

Et, pendant une demi-heure, on aurait pu voir sortir des égouts une eau noire, huileuse et moirée, qui évacuait la crasse si patiemment accumulée par notre héros, qui, dans le fond, se sentait de plus en plus léger. N'empêche que ce fut avec beaucoup d'empressement qu'il renfila son pantalon — on ne sait toujours pas comment — et son bourgeron crasseux, et sortit récupérer ses précieuses savates, sans lesquelles il se sentait encore tout nu.

Pendant les ablutions du visiteur, un événement, dont les suites furent des plus néfastes, allait déclencher le plus terrible train de malheurs que l'histoire de la Flandre ait enregistrés, à cause de ces désormais maudites savates. On peut dire qu'elles se sont vengées de voir leur maître les délaisser, ne serait-ce qu'en pensée.

En effet, le chien du seigneur, qui rôdait — le chien — dans les couloirs du château, aperçut cette forme étrange, qui sentait d'une odeur nouvelle, mélange savant, pour l'odorat d'un chien, d'huile de noix, de chiendent — qu'il n'avait pas l'occasion de grignoter au château —, de chien — je ne vous ai pas dit que Staf, en bon célibataire, avait un chien qui s'appelait Snuff — et même de rat.

La brave bête, au comble du bonheur, ne put résister à l'envie d'emporter ce trophée pour l'enterrer dans un coin de la cour qui n'était pas pavé, afin de le renifler à l'aise dans ses moments de mélancolie.

Staf vit, avec horreur, que ses savates n'étaient plus au poste. Il ouvrait déjà la bouche pour crier au voleur, quand il aperçut, un peu plus loin, une paire de mules toutes neuves, rembourrées et brodées, une merveille d'artisanat.

« Ah ! le brave homme, il a tenu parole, il a tenu sa promesse ! », et il enfila les souliers avec précaution. Ne voyant plus personne dans les couloirs, il ne voulut déranger personne et sortit avec sa brouette, portant sa caisse vide, et rentra au moulin.

Tout propre et tout joyeux, Staf prit en route de grandes résolutions : à partir de maintenant, je prendrai un bain tous les mois, et l'Intendant a raison, je vais faire le sacrifice de renouveler un peu — il était modeste — ma tenue. Arrivé au Mont Noir, il regagna sa chambre et, après avoir vérifié tous les verrous, il s'endormit du sommeil des bienheureux.

Mais au château, c'était le branle-bas : le seigneur, qui prenait son bain dans une autre salle, contiguë à celle de Staf, ne retrouvait plus ses pantoufles ; il savait aussi se mettre en colère, et tout le personnel de maison fouillait les moindres recoins à la recherche des disparues. Très tard dans la soirée, les gens du seigneur étaient toujours en effervescence, tant qu'on en oubliait la cuisine, quand le jardinier apporta, du bout des doigts, vous ne devinerez jamais quoi ! Si, vous avez deviné, c'était évidemment, comme l'ensemble des voix l'exprima « les savates de Staf ».

Le seigneur de Bailleul en fit une furie : « Ah ! le misérable, une ignominie pareille ; j'ai permis à ce vaurien de se baigner dans ma maison et, pour tout remerciement, il me vole mes mules, et pousse l'outrecuidance jusqu'à enterrer ses savates de manant au pied même du château, dans la cour de réception ! Gens d'armes, emportez-moi ces ordures, ou plutôt faites-en un paquet, et allez les reporter à leur propriétaire ; il en fera de la soupe si c'est là son désir, mais revenez avec mes mules brodées ! Ah, le scélérat, il paiera cher son manque de respect ! »

C'est ainsi que, le lendemain, au petit jour, Staf reçut la visite officielle de deux gens d'armes, et récupéra ses vieilles savates.

Il allait remercier, quand on lui réclama les souliers du seigneur, qu'il commençait d'apprécier au plus haut point, qui était de dormir avec.

— Comment, ce n'était pas pour moi ? demanda-t-il en fronçant son nez.

— Ça y est, il est devenu fou ! Une aile du moulin a dû lui taper la tête ! Ne fais pas l'innocent ! et tiens-toi tranquille, parce qu'il y a la prison. De toute manière, les gens du seigneur ne se dérangent pas gratuitement, et tu recevras la note des frais en temps et en heure. Tu as de la chance que tu venais de payer les impôts, et que l'intendant avait déjà rendu compte ! c'est une chance, crois-nous !

— Une chance, une chance, grommela Staf quand les gens furent partis, qu'est-ce que je vais faire maintenant, moi qui ai montré à tout le monde, hier soir, que j'avais de nouvelles chaussures !

Quelle volupté n'avait-il pas découvert devant ces gens qui s'émerveillaient, tant de ses souliers que de l'aspect soigné de son visage ; ne lui avait-on pas suggéré aussi de changer de pantalon et de veste ! Comment faire maintenant ?

Il n'y avait pas trente-six solutions, et Staf partit le lendemain, à dos de son mulet, vers une certaine grande ville, Ypres je crois, d'où il revint, habillé comme un prince, mais en plus simple quand même, parce que ça coûtait horriblement cher. Enfin, en comparaison, il était rajeuni d'au moins cent ans !

Tout le monde le remarqua, et pour cause, il se faisait voir, et la transformation était si inattendue et si réussie.

Staf n'avait pas voulu user ses nouvelles chaussures, avant d'y avoir mis des clous, aussi, il gardait, le temps de faire le nécessaire, ses vieilles savates. Deux jours plus tard, les semelles étant cloutées, la métamorphose était complète.

Les vieilles savates, il fallait s'en défaire, et ainsi ne plus jamais en entendre parler ; leur aventure avait coûté trop cher pour que Staf éprouvât encore de la sympathie à leur égard.

Armé de sa pelle, et lesté de ses savates, notre meunier décida de les enterrer dans le petit jardin attenant au moulin.

Le seigneur de Bailleul avait heureusement oublié, et n'en tenait pas plus de rigueur, mais il s'était empressé de faire brûler ses mules récupérées, qui avaient en quelque sorte été profanées. Il avait d'ailleurs les moyens de les remplacer.

Pendant que Staf faisait son trou dans le sable, des voisins, toujours curieux, regardaient entre les épines de la haie ce que le nouveau riche pouvait bien faire si tard dans son jardin. Ils le virent déposer quelque chose dans le trou, et bien le reboucher en ratissant la terre. Le meunier devait certainement cacher un trésor !

Et le lendemain, tout le Mont Noir savait sa cachette : une grande caisse en bois, bardée de fer, qu'il avait dû traîner jusqu'au trou, et qui résonnait comme de l'or à chaque mouvement. Il avait mis à l'emplacement une grosse pierre, etc. Les gens veulent toujours en savoir plus et, à la fin de la journée, c'était un trésor digne des Mille et Une Nuits qui était là enterré. Les ragots, à la campagne, et sans doute aussi en ville, grossissent beaucoup plus rapidement que les fortunes.

On parlait d'un gros héritage ; les gens d'armes du seigneur de Bailleul n'étaient-ils pas venus lui faire une visite dernièrement, le meunier n'était-il pas allé en ville le lendemain, sans doute chez le notaire, n'était-il pas retourné habillé de neuf ? Oui, ça ne pouvait être qu'un héritage.

Mais encore, avançaient d'autres, Staf était allé payer les impôts, un peu avant ! Avait-il bien fait les comptes, depuis le temps qu'il doit rouler le seigneur, vous rendez-vous compte de ce qu'il a pu détourner ! L'héritage, oui, tous les indices le confirment, mais ça ajouté au reste !

Ces propos furent rapportés au seigneur de Bailleul, qui n'avait entendu parler de rien au sujet de ce vieil oncle qui était décédé, sans autre héritier que le meunier du Mont Noir, qu'on disait. « Comment ! Ses sujets étaient au courant, et on le laissait, lui, le Seigneur, dans l'ignorance de l'événement ! »

Les gendarmes furent à nouveau mobilisés, et ils arrivèrent chez Staf, qui était occupé à racler ses meules avec ses beaux habits — on voit qu'il n'était pas marié ! — mais que voulez-vous, dans son contentement, il n'avait pas pensé à garder ses vieux, et son pantalon devait se tenir tout droit, dans un des fossés à la sortie d'Ypres.

Tous les gens du Mont Noir les accompagnaient, et quelques autres curieux à qui on avait parlé sur la route. En tout, près de deux cents personnes se regroupaient autour du moulin... et Staf récurait ses meules en sifflotant.

L'intendant du château avait tenu à venir aussi, pour pouvoir compter, évaluer, inscrire et taxer, majorer des suppléments pour fraude, le contenu des deux malles qu'on lui avait décrites ; sans savoir si d'autres caisses n'allaient pas être trouvées, pleines d'or, elles aussi, et, pourquoi pas ? l'entrée d'un souterrain menant à une grotte.

Et Staf récurait toujours.

— STAAAF ! DESCENDS ! cria un gendarme.

— Qu'est-ce que c'est ? s'enquit-il sans venir voir.

— DESCENDS, ET VITE ! ET VIENS T'EXPLIQUER.

— Mais, qu'est-ce qui arrive ? c'est la ducasse ?

— Oui, et ce sera bientôt la ducasse pour toi aussi, si tu ne nous suis pas immédiatement dans ton jardin !

Les témoins indiquèrent l'endroit et dix pelles commencèrent à remuer la terre de cet Eldorado avant la date.

Staf regardait, abasourdi, car il ne pouvait pas savoir. Dans la fièvre, un chercheur d'or retira les vieilles pantoufles, les jeta négligemment sur le côté, et les fouilles ne s'arrêtèrent pas.

Staf reçut les pantoufles juste à un mètre de lui, et se

contenta de dire, avec attendrissement : « Tiens, vous êtes encore là ! »

Il ne savait plus quoi penser, et remuait dans son crâne les hypothèses les plus logiques dans sa situation : « on va quand même pas construire un deuxième moulin ? » ou « c'est le seigneur qui se venge, parce que j'ai aussi des beaux habits ».

Il ne comprenait pas, la fosse avait maintenant quatre mètres de diamètre sur deux de profondeur. « Je dois avoir raison, on va faire un autre moulin », pensa-t-il.

Puis, on pensa à l'interroger, au moment où il s'apprêtait à le faire, lui aussi. « Alors Staf, où t'as enterré ton trésor ? Ne fais pas l'âne, on t'a vu ! »

Enfin, les esprits s'éclaircirent, après des palabres interminables, et il fut admis, quand les témoins oculaires eurent avoué s'être peut-être trompés que, si Staf disait que c'était ses vieilles pantoufles qu'il avait enterrées, à la réflexion, c'était possible.

« D'ailleurs, les voilà, cria maintenant Staf en colère, et vous allez me boucher ce trou en vitesse ! Allez, gendarmes, faites-les encore travailler » et « qui c'est qui va me payer mes légumes, des si belles carottes, et mes perches à suukerbon'je [1] qui sont cassées ! »

Les gendarmes étaient des braves gens et surent convaincre les assistants de remettre le terrain en état, comme avant, avec autant que possible la bonne terre par-dessus.

L'intendant était parti déjà ; il s'était éclipsé et descendait vers Bailleul avec la charrette à cheval qu'il avait emmenée, en cas de besoin ; et c'est la queue entre les jambes, si je puis m'exprimer ainsi, qu'il fit son rapport au seigneur. Ce jour-là, il n'y eut pas de prime pour l'intendant.

---

1. Haricots verts.

Le trou rebouché, et tous les gens partis, Staf se retrouva seul près du moulin. « Mais qu'est-ce que c'est que ça ? » Il s'aperçut que, dans ses mains, il tenait toujours ses vieilles savates, et il les balança près du lit.

Pour comble, il dut payer le nouveau dérangement, les autres n'ayant pas d'argent.

Hors de lui, il vit ses affreuses savates dans un coin de la maison, où il les avait rangées, par habitude. Elles semblaient le narguer, et Staf se surprit à vouloir cacher ses nouvelles pantoufles, de peur de mettre les vieilles en colère. Puis, comme il avait les pieds sur terre, il chercha comment il pouvait se défaire de ces diablesses.

Plein de vaillance et déterminé à couper à l'aventure, sa pelle sur l'épaule gauche et les savates sous le bras droit, il descendit le Mont Noir, jusqu'à une petite sente, qui doit être maintenant le sentier de la grotte, et il s'enfonça dans les bois, vers le trou du diable où il savait que personne ne venait. Je dois préciser que l'érection de la grotte n'a aucune relation avec mon histoire, et que, si j'y fais allusion, c'est pour bien situer l'endroit.

Staf arriva où la terre suinte à travers le terreau des feuilles. Ne pouvant s'aventurer plus avant, il déposa ses savates, et, crachant dans ses mains, il prit sa pelle et creusa un trou dans cette boue.

En quelques minutes, l'affaire était réglée, on ne parlerait plus jamais des savates, quelques coups du dos de la pelle, comme pour assommer à jamais ces indésirables revenantes, et il rentra au moulin tout soulagé. Il était certain que, maintenant, elles ne se manifesteraient plus, jusqu'à la résurrection des morts.

Staf était fondé dans ses espoirs, et, en réalité, au bout de deux ans l'affaire des savates était pas mal estompée dans les esprits, bien qu'on en rît encore quelquefois sous cape.

Mais un événement imprévisible, et par conséquent imprévu, devait troubler cette sérénité retrouvée.

Il convient de dire que le seigneur de Bailleul, dont le château se trouvait dans le carré entre la Grand-Place et la rue des Viviers actuelle, possédait aussi le versant nord du Mont Noir. Avec beaucoup de clairvoyance, et aidé de conseillers avisés et de son géomètre, qui était de grande culture, ce seigneur remarqua que les sources qui alimentaient la Becque qui passait à Bailleul donnaient une eau très claire et pure. Malgré ses moyens, qui étaient plus que satisfaisants, il ne pouvait déplacer ces sources, qui auraient fait cependant le bonheur du château. Les eaux de son puits étaient saumâtres, et les citernes, alimentées par près d'un hectare de toitures, se trouvaient vides cependant pendant les périodes de sécheresse. Puiser dans les douves ? Peut-être pour laver le sol et abreuver les bêtes, mais cette eau de surface n'était pas assez présentable pour paraître dans les cruches qui servaient à table. C'était un gros problème.

Aidé de ses conseillers, et après avoir consulté son intendant, il se rendit aux sources avec une délégation. De la discussion, il ressortit que, si l'eau arrivait à Bailleul par la Becque, il suffisait de détourner celle-ci par le château. On suivit la Becque, et à l'unanimité, il fut admis que ce n'était pas à faire. Après les orages, l'eau était jaune et boueuse, tous les fossés y débouchant, et, en général, l'eau n'était pas à boire : on avait vu s'y déverser toutes les eaux sales, du purin même ; non, vraiment, l'idée ne pouvait pas convenir.

— Si je puis me permettre, suggéra le géomètre, il y a une solution : pourquoi pas des tuyaux ?

— Mon ami, dit le seigneur, voilà ce qu'il faut faire ! Comment n'y ai-je pas pensé, Jules César n'avait-il pas fait des aqueducs ! Il est vrai que ses moyens... enfin, passons, je crois que c'est possible.

L'industrie des tuyaux étant trop peu courante, il fut construit un caniveau, avec des grandes tuiles plates, que les briquetiers pliaient sur leur cuisse, avant cuisson, c'est évident. Ces éléments furent maçonnés entre eux à la chaux, et la rigole couverte de dalles, également maçonnées. La main-d'œuvre était bénévole, je veux dire gratuite, parmi les sujets les plus expérimentés.

Derrière le Centre Alexis-Carrel, qui n'existait pas encore, d'autres disent sur la pâture Opsomer, qui devait s'appeler autrement, un important réservoir fut construit, le château d'eau de l'époque. Les trois sources principales furent captées au Mont Noir, et un bassin alimentait l'installation générale. On appela cet endroit « les trois fontaines ».

Un trop-plein desservait le réservoir du château, et, par un fossé qui passait au fond des jardins de la rue du Musée — qui n'existait pas — ramenait l'excédent à la Becque mère.

Donc, tout le monde était heureux, au château comme au moulin... jusqu'au jour où le réservoir si précieux se trouva à sec. C'était la catastrophe, d'autant moins compréhensible que nous venions de subir une période de pluies torrentielles et que les trois fontaines donnaient à plein régime.

Il fallut se rendre à l'évidence, les canalisations s'étaient bouchées.

Un plan Orsec fut décrété, et les fonds exceptionnels débloqués. Il ne restait qu'à retrousser ses manches, et vérifier les tubulures sur leurs trois kilomètres, des trois fontaines jusqu'au bassin de réception.

Ce travail de Romains (?) était en cours depuis huit jours, avec grand renfort de terrassiers, quand, au lieu-dit actuellement l'oasis, on remarqua que la pâture était inondée. On ouvrit, et l'eau gicla, faisant resurgir une forme noire et gluante, un chat crevé de l'avis des ouvriers et des assistants.

« C'est pas un chat crevé », dit un terrassier en remuant l'objet avec sa pelle, dans une flaque d'eau, et le présentant à bout de bras. Dans une clameur, on entendit quelqu'un s'exclamer : « C'est une savate de Staf ! »

C'était vrai, il ne s'était pas trompé ; on ne pouvait d'ailleurs pas se tromper, tant on connaissait son histoire.

Cependant, l'eau n'arrivait toujours pas au bassin, et les investigations reprirent sur le tronçon restant... rien, on ne comprenait pas, le seigneur se désolait.

Puis un soir, alors qu'une troupe de curieux regardait le bassin — certains disaient des prières —, un coup de canon retentit, une trombe d'eau s'engouffra dans le réservoir, faisant tournoyer sur le radier... oui, vous avez deviné, c'était bien la deuxième savate.

Voilà ce qui s'était passé : les pluies torrentielles avaient raviné les pentes du Mont Noir, déterré les savates, et les avaient entraînées, par gravité, vers le réservoir des trois fontaines ; les savates, libérées, avaient suivi le chemin le plus facile : le caniveau d'alimentation du château. C'était simple, mais encore Staf pouvait-il y penser ?

Le seigneur était furieux ; il resta couché une bonne semaine, on dit même qu'il ne s'en remit jamais tout à fait.

Staf fut déclaré responsable et tous les frais mis à sa charge, avec fortes amendes. Il ne savait pas faire face, et son moulin fut saisi par le seigneur, qui en fit un moulin banal.

Les gens d'armes, à l'issue du procès, étaient venus faire une nouvelle visite au meunier, lui rapportant ses savates dans un paquet ficelé et cacheté.

Staf ouvrit ce paquet, s'assit comme un malheureux — il l'était au-delà de toute imagination — et considéra ses ennemies jurées. Et il pleura.

Puis il prit un accès de colère, facilement compréhensible.

Il prit ses savates, les lia avec une corde, en serrant comme s'il eût voulu les étrangler, et courut les jeter dans la mare qui se trouvait dans la pâture derrière, où un voisin l'avait autorisé à construire une petite cabane.

Quelques jours après, ce voisin et bon samaritain arriva tout malheureux près de la cabane : « Staf, j'ai pas de chance, j'ai trouvé ma vache crevée près de la mare. »

Staf allait répondre : « elle a peut-être avalé quelque chose », mais il se ravisa et retint vite sa langue. S'excitant, il cria : « vite, il faut l'enterrer, on m'a dit qu'il y avait une maladie en ce moment, et que même les hommes peuvent l'attraper ! »

Et il donna un coup de main, avec toute l'énergie qu'il pouvait, pour faire le nécessaire, car il connaissait la maladie de la vache, et les ravages qu'elle pouvait causer.

Les savates de Staf ne firent plus parler d'elles, elles étaient enterrées, et cette fois bien enterrées.

Staf, l'ancien meunier, goûta dès lors de longues années paisibles, dans sa petite cabane. Il se promenait, il vivait pratiquement de rien ; il comprenait qu'on pouvait être plus heureux sans rien faire, plus heureux qu'en s'usant toute la journée à porter des sacs et surveiller ses sous.

Mon histoire est terminée, mais il lui faut un épilogue :

Depuis, bien des événements, heureux et malheureux, se sont déroulés dans notre région et, entre autres, nous avons connu la guerre de 1939-1945, et la longue occupation allemande. J'habitais alors chez mes parents, route de Méteren à Bailleul, quelques maisons après la Becque.

Devant chez moi passait la route nationale, dont la chaussée avait été construite en béton, vers 1932. Cette route était naturellement blanche, et repérable par les avions alliés.

Les Allemands, qui s'en étaient rendu compte, avaient

passé du goudron sur toute la largeur, et la longueur de cette route.

Un de leurs officiers, vétérinaire de l'armée d'occupation, exerçait à Bailleul et logeait à Méteren. Il avait découvert, dans le hangar de la société philanthropique, outre les vestiges de Gargantua, la calèche du docteur Picolissimo, qui s'en servait les jours de carnaval.

Ce vétérinaire n'avait rien trouvé de mieux que de se servir de cette calèche, pour venir de Méteren à Bailleul, et retourner le soir.

Botté de cuir brillant, culottes de cheval à ailerons, gants blancs, il conduisait avec beaucoup de fierté ce trophée roulant aux roues noires à rayons jaunes, que tirait un cheval noir fringant et vigoureux. On le voyait chaque jour, passant au petit trot.

Passé la Becque, il arrivait ce soir-là, toujours au petit trot, sur la bande goudronnée. Juste devant chez moi, le cheval se rétala des quatre fers entre les brancards.

Le fier officier descendit prestement de son siège et, de ses bottes ferrées, glissa à son tour sur le goudron, se rétala lui-même, ses deux gants blancs dans la mélasse, et sa casquette, qui paraissait neuve, roula dans le caniveau.

Les occupants avaient aussi creusé, dans la campagne, du côté de l'Asile, des tranchées antichars qui s'étaient remplies de boue. Cette fois-là, je n'étais pas présent, mais les camarades me l'ont raconté : le même officier vétérinaire, qui s'exerçait au cheval de selle de ce côté de Bailleul, s'est retrouvé, quelques jours plus tard, dans une position à peu près analogue, quand sa monture — ça me fait penser qu'il avait des lunettes à monture d'acier —, je dis son cheval, plongea des deux jambes de devant dans un de ces fossés.

Ce vétérinaire s'adonnait aussi à l'archéologie et sa passion l'avait amené jusqu'au Mont Noir, qui l'avait intrigué par sa position, son sol, son orientation, enfin par des tas d'indices qu'il entreprit d'explorer.

Les gens du Mont Noir, comme ceux du Mont de Boeschèpe d'ailleurs, disent que là, la terre est juste bonne à enterrer des chiens ; lui se disait que cette terre était bonne à trouver des vestiges.

Cet Allemand, qui pensait plus à la science qu'à la guerre, avait la conviction si forte qu'il en fit part à des collègues de son pays, qui arrivèrent.

Au cours de leurs travaux, ces savants éminents déterrèrent le squelette d'une vache. Avec mille précautions et petites balayettes, ils extirpèrent un vestige des plus précieux pour la science, qui fut adressé avec un soin infini à un grand institut, germain, bien entendu.

Des analyses furent faites, des datations suivant le carbone et d'après les pollens, et tout le saint-frusquin, et un rapport fut élaboré, et qui disait à peu près :

« Parmi les ossements d'un " taureau " (stier dans le texte), probablement immolé en ce haut lieu spirituel par un rite observé nulle part ailleurs, nous avons observé une paire de sandales (en français dans le texte), d'un modèle dont aucun autre spécimen n'est répertorié dans nos catalogues : une sorte de soulier à grosse semelle de cuir de taureau, ferré de trente-cinq clous à grosse tête (nos savants ont tous été d'accord sur le caractère sacré de ce chiffre, qui représente trois fois douze moins un). Le dessus en grosse toile de lin, qui est un matériau sacré. La valeur symbolique de cette paire de sandales, à caractère éminemment religieux, est incontestable, compte tenu des infinies précautions prises lors de leur embaumement.

« Cet embaumement n'avait aucune analogie avec ceux pratiqués pour les pharaons d'Égypte : d'abord, une imprégnation, pendant une dizaine d'années, dans une huile, que l'analyse a révélée être de l'huile de noix, en de multiples couches, alternées à chaque fois avec un saupoudrage de farine de blé, soigneusement débarrassé de son son (kleie dans le texte), puis par une dernière couche, très mince, d'argile que l'on trouve à quelques kilomètres du lieu de la découverte.

« Un détail extrêmement troublant, et curieux, révélateur du caractère sacré, est la découverte, dans les plis de la toile du squelette parfaitement conservé, d'un petit poisson local, du genre *gasterosteus acuelatus*, communément appelé épinoche commune, et qu'en certaines provinces françaises on appelle cordonnier, ou savetier.

« Ce dernier nom populaire, par lui-même, associé à la présence des sandales, permet d'affirmer le caractère sacré des sandales dans cette région. »

Sacrées savates.

Depuis la guerre, les savates de Staf, le meunier du Mont Noir, sont en place d'honneur dans une vitrine inviolable du Musée d'Histoire Naturelle de Vienne, en Autriche. Une bibliographie importante, traitant du sujet, se trouve à la Tierärztliche Hochschule, l'école vétérinaire, où se pressent des savants du monde entier qui ont reçu des crédits dans ce but.

Dieudonné COPIN

L'ARBRE DE LA LIBERTÉ

Si mes deux grand-mères n'avaient pas leurs pareilles quand il s'agissait de raconter des histoires savoureuses de la vie locale d'autrefois, mon grand-père maternel et parrain n'était pas le dernier en ce domaine.

Je l'accompagnais souvent quand il travaillait au jardin, ou qu'il allait couper de l'herbe pour les lapins, et nous étions fort loquaces. Combien d'histoires m'a-t-il racontées ! Jamais les mêmes, ou alors fortement nuancées, émaillées de détails parfaitement vraisemblables, mais qu'il inventait au fur et à mesure.

Je sais qu'il inventait, parce qu'avant de sortir ses anecdotes, il riait tout seul de ce qu'il venait de trouver, et de cette étincelle découlait toute une tirade. Je n'ai jamais pu savoir ce qui était automatique chez mon grand-père : son invention bouillonnante quand il racontait, ou son travail de jardinier. En effet, rien ne lui échappait : la mauvaise herbe, le ver blanc dans les poireaux, le pied de tomates à épincer, la chenille de machaon sur les carottes, ou de papillon blanc sur les choux.

Chez mes grand-mères, en revanche, il n'y avait pas de doute à leur sujet : le tricot ou la dentelle étaient entre des doigts devenus mécaniques et les aiguilles et les bout'je couraient tout seuls... bien qu'une chaussette ou un papillon de dentelle demandent attention ?

Mais je m'étends dans mes réflexions personnelles, qui ne peuvent pas intéresser le lecteur, et j'arrive à mon propos, qui est de raconter une des histoires de mon grand-père, qu'il disait avoir recueillie de son propre aïeul, qui la tenait lui-même de témoins directs et par là dignes de foi.

Louis XVI était, quoi qu'on en dise, un bon roi. C'était pour le moins un brave homme, qui n'avait pas choisi d'être roi ; il laissait ses ministres et leurs fonctionnaires mener les affaires du royaume de France, et se contentait de recevoir les rapports, auxquels il ne comprenait pas grand-chose et les ministres en abusaient trop souvent.

De temps à autre, le bon roi Louis appréciait une promenade en solitaire, libéré des soucis de sa charge royale. Alors il abandonnait les atours et perruque pour se glisser parmi les gens du peuple.

Habillé en petit-bourgeois, ou même en paysan, il se reposait dans la vie simple qu'il aurait aimé partager, et personne ne le reconnaissait.

C'est ainsi qu'un beau jour de printemps, où les affaires d'État l'avaient conduit dans la région de Lille, il dit à ses gens qu'il désirait se promener seul dans la campagne flamande, et on lui sella un cheval.

La suite du roi n'était pas mécontente de ces escapades royales, qui permettaient un peu de liberté avec les convenances en cette absence.

Louis XVI se promena du côté de Bailleul, parce qu'il aimait les Monts de Flandre, qu'il comparait aux mamelons des bords du Rhin. Arrivé au lieu que l'on appelle le Ravensberg, le roi paysan remarqua un jardinier qui paraissait bien en peine. Assurément, ce jardinier plantait un arbre ; il y avait là un trou dans la terre, un arbre couché à côté, une bêche plantée, mais le paysan regardait l'ensemble, assis sur une butte. Il considérait son ouvrage en marmonnant, et paraissait désespéré.

Louis arrêta son cheval, mit pied à terre, et s'approcha du planteur qui ne plantait pas. L'autre leva les yeux vers le voyageur qui hasarda :

— Et bien, mon brave, ça ne va pas ?

— Mon ami, tu as devant toi un homme bien embarrassé.

— Je vois, dit Louis, mais pourquoi diable ?

— Regarde un peu, je veux planter ce sacré pommier, et je n'arrive pas ; ça fait cent fois que j'essaie !

— Planter un pommier, ce ne doit pas être difficile ! Attends, je vais essayer.

— Parle toujours, vas-y donc, on verra bien si tu es plus malin que moi !

Et voilà notre bon roi, plein de bonne volonté, ramassant l'arbre, le dressant dans le trou préparé, puis le rabaissant pour attraper la bêche, avec laquelle il essayait de gratter un peu de terre.

Essayez donc, ami lecteur, et vous verrez qu'il est difficile de bêcher d'une seule main, en veillant de l'autre à ce que l'arbre tienne debout !

Après quelques minutes de vaines tentatives, Louis en convint :

— C'est vrai, tu as raison, ce pommier est implantable ! Je ne pensais pas que c'était aussi laborieux !... Et il arrêta son petit ballet royal, dont Lulli n'eût pas dédaigné écrire la musique.

Puis Louis s'assit près de son compagnon, en essuyant la sueur de son visage du revers de sa manche, comme un bon paysan.

Ayant repris son souffle, Louis eut soudain une idée lumineuse, digne d'un roi de France :

— Mais que nous sommes bêtes ! dit-il en se relevant,

voilà comment nous allons faire : je tiendrai le pommier vertical, et toi, tu reboucheras le trou.

Aussitôt dit, les voilà tous deux à l'ouvrage ; en deux
temps et trois — ou quatre — mouvements, l'arbre fut
planté, butté et arrosé.

— T'es pas bête, toi, remarqua le compagnon, si les
cochons ne te mangent pas, tu arriveras à quelque chose !
Mais comment t'appelles-tu ?

— A vrai dire, je n'ai jamais l'occasion de m'appeler,
reprit Louis, qui réfléchissait au moyen de ne pas s'empêtrer,
mais Louis est mon prénom.

— Et ton nom de famille ?

— Capet.

— Un bon nom de paysan ! Tiens, dans le temps, j'ai
connu un Jules Capet, qui habitait du côté d'Hazebrouck,
t'étais peut-être parent ?

— Je ne crois pas, ou peut-être un cousin éloigné, mais
toi, c'est comment ?

— Moi, c'est Joseph, tu vois, je vis ici tout seul, et je cul-
tive un petit coin de jardin, ... mais je regarde ton cheval,
c'est vraiment un beau cheval ! On voit tout de suite que tu
t'y connais, il est bien soigné ! Ton maître ne doit pas être un
malheureux, tu travailles dans le coin ?

— Bah ! c'est-à-dire, pas précisément, je travaille du côté
de Versailles, mon maître a beaucoup de chevaux comme
celui-ci, et, comme il avait affaire dans la région, il m'a
demandé de promener la bête.

— Allons à la maison, tu prendras bien une bière !

— Volontiers, j'ai chaud, et j'ai aussi soif !

Et voilà Louis, buvant dans la chaumière de Joseph une
jatte de petite bière qui était tenue au frais dans le trou d'ours
qui tenait lieu de cave.

Joseph s'excusa quelques instants et revint les bras chargés :

— Tiens ! je te dois quelque chose, tu prendras bien ces poireaux et ces pois de suc ! Qu'est-ce que je peux faire encore ? car tu m'as rendu un grand service, dis ce que tu veux !

Il faut bien dire que Louis avait hâte de continuer sa route, et, en prenant congé, il dit à Joseph :

— Tu es bien aimable, mais garde tes pois de suc et tes poireaux, j'ai tout ce qu'il faut à la maison ; et, pour ne pas rester en compte avec toi, je te demanderai quelque chose : tu m'as dit que c'était un pommier que tu plantais, eh bien, les premières pommes qui pousseront dessus, tu me les apporteras, on les mangera ensemble...

— Te les apporter ?... à Versailles ? T'es pas fou ! C'est au bout du monde ! C'est pas que je veux être impoli, d'abord je n'ai pas les moyens de payer le voyage, tu te rends pas compte ! C'est toi qui vas payer, peut-être ? Non, c'est impossible ! Pourtant, ça me plairait bougrement de sortir une seule fois de mon trou !

Le bon roi Louis n'avait pas pensé... évidemment, ce n'était pas lui qui avait habituellement les soucis de l'intendance, mais il se ressaisit vite :

— Tutututut ! Ne t'occupe pas de ça, tu viendras, c'est moi qui t'invite, tu te promèneras une bonne fois dans ta vie et, pour le voyage, je vais arranger ça... pour la diligence et l'auberge, tu n'auras qu'à montrer ce papier.

Et Louis sortit de sa manche un parchemin, avec des beaux dessins en couleurs, et un texte calligraphié, que Joseph ne savait pas lire, et un gros cachet de cire dans le bas.

— Montre ce papier et tu verras que ça ne te coûtera rien.

— T'as de la chance d'avoir des facilités comme ça ! T'as vraiment une bonne place ! Mais toi, tu en as besoin, que va dire ton maître ?

— Mais t'en fais pas, Joseph, j'ai un autre papier pour

moi, et tout ce que je fais est bien, je suis, pour ça, assez bien considéré.

— Ah, bon ! dit Joseph abasourdi, mais comment je pourrai te trouver à Versailles ? C'est grand, et je ne connais rien.

— Tu demandes le château, et là, tu demandes Monsieur Louis. Tu montreras ton papier et tu te laisseras conduire jusqu'à moi. Insiste si c'est nécessaire, car ils font parfois des manières !

— T'es sûr qu'on me laissera entrer, et que je te trouverai, ... et si t'es pas là ?

— Ah oui, bien sûr, tu penses à tout, tu n'as qu'à mettre une lettre au postillon, à l'adresse de Monsieur Louis, château de Versailles, ça arrivera, et ce sera la preuve de ce que je t'ai avancé.

— Mais je ne sais pas écrire !

— Dessine une pomme, et marque en dessous Joseph, tu sais quand même bien signer ton nom ! Je te répondrai quand tu peux venir.

— Bon, c'est entendu, et à la revoyure, et merci encore !

Et le bon roi Louis chevaucha sa monture, et partit en sifflotant, tout heureux de cette escapade pleine d'imprévus, et méditant sur la leçon, à savoir qu'un homme isolé n'arrive à rien, mais qu'en s'associant il soulèvera des montagnes.

Le temps passait... et voilà que le pommier de Joseph produit trois pommes, comme c'est son devoir de pommier.

Joseph n'avait pas oublié ! Avant qu'elles ne soient formées, il prit un papier, dessina une belle pomme, qu'il recommença plusieurs fois, et coloria même de son mieux, puis signa d'un paraphe qui prit tout le reste de la feuille ; le postillon mit l'adresse qu'il lui indiqua, en ouvrant des yeux ronds devant le papier que ce paysan lui présentait, et qui portait le sceau du roi.

Une dizaine de jours après, un cavalier s'arrêta chez

Joseph, au Ravensberg à Bailleul, et remit sans explication un papier au correspondant extasié.

Joseph demanda de le lire, et il était marqué : « Viens en septembre, je ne m'absenterai pas de tout le mois », et c'était signé « Louis », d'une griffe presque aussi grande que celle de Joseph, mais moins lisible.

Le roi Louis XVI avait pris la précaution de ne porter aucune marque extérieure ou intérieure de sa dignité, mais le papier était beau et bien plié.

A la fin du mois d'août, Joseph cueillit les trois pommes avant qu'elles ne soient mûres, parce que le voyage les aurait gâtées, et les rangea bien soigneusement dans une petite caisse avec de la courte paille.

Et voilà Joseph parti, après avoir enterré ses quelques sous, et tout mis en ordre dans sa maison.

« Ah, quelle bonne idée il avait eue de planter cet arbre, juste à ce moment-là, cet arbre qui lui donnait la liberté à laquelle il avait tant aspiré : il était libre, et il bénissait Louis ! »

Et voilà comment fut planté le premier arbre de la Liberté, quelques années avant que la mode en reprenne l'idée, et cet arbre de la Liberté, qui l'avait planté ? Louis, Louis Capet, Louis XVI !

Après avoir pris la diligence, à la poste aux chevaux de Bailleul, Joseph arriva à Nieppe, puis à Armentières, puis à Lens, Arras, et il se trouva quelques jours après à Versailles.

Le parchemin était merveilleux. Sa seule vue mettait tout le monde en effervescence, les postillons arrangeaient la meilleure place, les aubergistes sortaient leurs meilleurs plats, leurs meilleures chambres, leur meilleure bière et même du vin !

Notre Joseph était comblé d'aise ; à chaque instant il

bénissait son ami Louis pour tout le bien qu'il lui avait réservé.

Et tout ça sans bourse délier !

A Versailles, on lui demanda de descendre, lui disant qu'il était arrivé à destination. Légèrement inquiet — Joseph tremblait sur ses jambes, mais c'était sûrement l'effet d'un long voyage assis — notre voyageur s'enquit : « Le château, s'il vous plaît ? »

— Le château ! C'est le château, nous vous avons amené jusqu'à la porte !

Quel soulagement, il ne devrait pas chercher, dans tout ce monde.

— Merci bien, mon ami, merci encore !

— Ne me remerciez pas, c'est vous qui nous avez comblés !

« Il est bien poli, pour un postillon », se dit Joseph, et il frappa à la lourde porte de chêne.

Un judas s'ouvrit, et un nez y apparut : « Qu'est-ce que c'est ? »

Joseph montra son papier au nez, et bredouilla :

— Menez-moi à Monsieur Louis, il m'attend.

— Monsieur Louis, mais, mon brave homme, il est occupé, et il ne reçoit pas comme ça, enfin, entrez, je vais voir.

— Oui, merci, et faites vite. Il m'a dit : « tu montreras ce papier, et on t'amènera à moi tout de suite ». Dites que j'apporte ce qui était convenu.

— C'est vrai, c'est vrai, asseyez-vous, je vais l'avertir, s'empressa l'huissier.

Et il poussa une double porte au fond de l'antichambre, sans doute un peu trop brusquement, car une voix s'exclama derrière :

— Ayaye, mal dégourdi, tu ne feras jamais attention ! Tu vois bien que je répare la serrure !

Joseph riait de bon cœur, on ne pouvait pas voir à travers la porte.

Le domestique dit deux mots à l'oreille du serrurier, qui regarda le visiteur avec attention, puis :

— Ah ! mais oui, Joseph, le pommier, excuse-moi, mais j'avais un peu oublié ton visage. Ne fais pas attention, j'ai les mains pleines de graisse !

— Salut, mon vieux Louis, tu fais aussi le serrurier, tu fais donc tout ici, toi, tu peux dire que tu as une bonne place !

— Oui, je fais tout ici, tu vois !... mais, ne reste pas là, suis-moi, je vais avertir la cuisine, qu'on te prépare un bon repas, car tu dois avoir faim, après un si long voyage.

Joseph n'avait pas très faim, avec les bonnes auberges qui l'avaient gavé pendant une bonne semaine. De plus, ne payant pas, il n'hésitait pas à en redemander. Mais, par politesse, il accepta.

— Bah tiens, ajouta Louis, on mangera ensemble, t'as rapporté des pommes ! Des pommes de ton pommier ?

— De notre pommier, rectifia Joseph, et trois belles, tu verras.

— Mieux encore, puisque tu apportes trois pommes, nous mangerons à trois, je vais demander à ma femme de partager notre repas !

— Mais ton travail, tu n'as peut-être pas fini, regarde, ta serrure est encore par terre !

— Ne t'en fais pas, mon bon Joseph, si ce n'est pas fait aujourd'hui, ce sera demain, ou un autre jour, tu sais, on ne me presse pas, ici !

— Je me répète peut-être, Louis, mais t'as vraiment une bonne place !

Le repas dépassa tout ce que Joseph avait imaginé.

Dans ce que Louis appelait le petit salon, pourtant immense comparé à l'unique pièce de la chaumière du

Ravensberg, Joseph s'assit sur une chaise sculptée, comme les onze autres.

— Elles doivent être vieilles, ces chaises, hasarda Joseph, leurs pattes sont tout arquées, à force de s'asseoir dessus !

— Oui, dit Louis négligemment, elles sont vieilles, elles me viennent de mon grand-père, et j'aime bien ces pattes arquées, ça leur donne un style !

Louis s'assit face à Joseph, et sa femme au bout de la table.

Des serviteurs tout habillés avec des dentelles et un gilet blanc à boutons de nacre, et des chausses avec des nœuds de satin, apportèrent tour à tour les plats les plus succulents, meilleurs encore qu'à l'auberge.

— Tu exagères, Louis, que va dire ton Maître, il n'est sans doute pas là ! Tu ne crains pas de jouer avec ta place ?

— Si, si, il est là, et il est d'accord ; et ne t'en fais pas pour ma place, je fais ce que je peux, et on me considère. T'occupe pas, et mange !

Et l'on parla de jardinage, de chevaux, de la chasse, et Joseph expliqua comment il faisait ses collets. Et l'on évoqua, bien sûr l'anecdote du pommier.

Louis raconta, avec tous les détails, l'histoire qui amenait Joseph à leur table, et sa femme s'en amusa beaucoup.

C'était une femme très belle, et bien habillée, mais avec un petit air de bergère, et Joseph se dit qu'elle devait être femme de chambre de la Demoiselle du château ; mais sa discrétion l'empêcha de se le faire préciser.

Puis vint l'heure du dessert.

Sur un plat d'argent, un serviteur apporta les trois pommes de Joseph, merveilleuses, luisantes et rutilantes.

Dans une petite assiette, en argent aussi, Joseph reçut la sienne, Louis une autre, et sa femme la troisième. Joseph ne disait rien, mais il pensait au surcroît de vaisselle, pour rien, que Louis imposerait à sa femme dans le seul souci de bien recevoir son hôte.

Chaque pomme était accompagnée d'une fourchette et d'un couteau en argent également ; la femme de Louis s'extasiait sur des fruits aussi beaux, aussi charnus, aussi rouges, et complimentait Joseph, qui ne voyait, lui, que des pommes comme les autres pommes peut-être un peu plus belles parce que bien présentées. Mais ces gens étaient si aimables, qu'il se contentait de ces compliments.

Avec un petit linge de soie, Louis et sa femme essuyèrent délicatement leur fruit, et entreprirent de le découper en tranches fines, qu'ils portaient à la bouche avec leur fourchette.

Joseph n'avait jamais vu ça et, pour les mettre à l'aise d'emblée, il sortit de sa poche son gros couteau à manche de bois, qui coupait mieux, et se mit à éplucher sa pomme en déroulant un interminable ruban.

Louis et sa femme étaient interdits. Ils regardaient la pomme, l'épluchure, l'éplucheur, se regardaient l'un l'autre, et ne pensaient même plus à manger.

— Qu'est-ce qu'il y a, demanda Joseph, qui se rendait bien compte que quelque chose n'allait pas, elles ne sont pas bonnes ?

Louis et sa femme reprirent leur dégustation, mais riaient maintenant, et Louis ne put s'empêcher de dire :

— Tu sais, Joseph, nous sommes peu au courant des manières de la campagne, mais je vais te dire ce que dit mon médecin, qu'il ne faut jamais éplucher une pomme avant de la manger, si tu veux conserver des bonnes dents et être en bonne santé ; c'est un homme de science, et il dit que le meilleur se cache dans la peau.

— Ouais, c'est possible, et on me l'a déjà dit, mais tu vois, Louis, si j'épluche ma pomme, c'est que je ne sais pas la reconnaître des autres.

— Quelle importance, Joseph, elles sont toutes les trois pareilles ?

— Oui, je ne dis pas, mais il faut te dire, en les emballant, j'en ai laissé tomber une dans le purin, alors, tu comprends !

D'après certaines chroniques de l'époque, alimentées par des serviteurs un peu trop bavards, Louis aurait avalé de travers le morceau de pomme qu'il avait dans la bouche ; il fallut appeler le médecin, qui prodigua ses efforts et réussit in extremis à sauver le bon roi de France qui était près de trépasser.

Cela montre bien qu'un petit incident — j'allais dire un petit détail, mais il paraît que ce n'est pas bien apprécié par les partisans du roi —, je disais qu'un petit incident peut faire chavirer complètement la destinée de la France.

Si Louis XVI était mort ce jour-là, la petite anecdote que je vous ai racontée serait devenue événement national, et tous les livres d'histoire auraient dû en parler.

Il a fallu que ce soit autrement. Que le premier arbre de la Liberté, que le roi lui même avait planté, soit la cause indirecte de son trépas, n'aurait-ce pas été plus digne pour la France que le vulgaire « Couper cabèche » de la Révolution ?

Au fond, en y réfléchissant, la cause est à peu près la même, si les prétextes sont différents. Mais ne réfléchissons pas trop, de toute façon Louis serait mort à l'heure actuelle.

Il y a de fortes chances pour que le pommier de Joseph du Ravensberg soit mort à son tour, et Joseph avec, puisque c'est le destin de chacun.

Dieudonné COPIN

LA BRASSERIE DE LA TULIPE

Au temps jadis, il y avait à Lille, devers le rempart du Calvaire, un lieu singulier que l'on appelait la *Piquerie*. C'était un large espace découvert, sans arbres ni bâtisses, où les compagnons *piqueurs* piquaient le grès des Ardennes et le moellon de Lezennes en chantant la complainte de Lydéric, en fumant tabac et en buvant canette, depuis le petit jour jusqu'à la brune.

Quand je dis qu'il n'y avait pas d'arbres, je me trompe : il y en avait deux, un tilleul et un noyer, aussi gros que la bedaine du *tambour-major des Hurlus* qu'on voit se promener par les rues de la bonne ville dans les Fastes de Lille, et qui dataient de la construction de la Noble-Tour, au dire des commères du quartier Saint-Sauveur. Ces deux patriarches barbus et branchus veillaient, comme deux hommes d'armes oubliés par la faux de messire Kronos, à la porte cintrée de la brasserie la plus vénérable du pays de Flandre, la Brasserie de la Piquerie, qui, avec ses pignons en escalier, ses petites fenêtres cintrées et ses caves célèbres dans toute la châtellenie, était le patrimoine des Van Bogaert, — lesquels vantaient volontiers de se la transmettre de Van Bogaert en Van Bogaert depuis le jour où le Saint-Esprit avait inspiré au glorieux roi Gambrinus l'idée de marier son fils Grain-d'Orge avec sa pupille Fleur-de-Houblon.

Depuis Saint-Omer jusqu'à Liège, la bière de Van Bogaert était réputée sans égale ; c'était à ce point que les francs-buveurs du Cambrésis faisaient dare-dare leurs quinze lieues de pays à seule fin de venir vider un joli verre de bière à la taverne de l'Alouette, rue Saint-Étienne. Or, chacun sait que les « pisse-canette Camberlots », comme les appelaient, révérence parler, les bonnes gens de Lille, étaient fameux en ce temps-là par leur soif inextinguible et leur compétence supérieure en matière de beuverie.

Quant à menherr Van Bogaert, je ne crains pas de dire que c'était un homme comme on n'en voit pas beaucoup. Il avait une figure large comme le ventre d'un homme ordinaire, joviale, d'une belle couleur de brique, et reposant mollement sur un menton monumental à cinq étages. De mémoire de pinteur, on n'avait vu à Lille menton pareil, meilleur vivant ni brasseur si gai. Il était si riche que, dans le populaire, il passait pour dissoudre de l'or dans sa bière afin de lui donner beau goût et plaisante couleur.

Quand on lui rapportait ces bruits, menherr Van Bogaert riait ; d'ailleurs menherr Van Bogaert riait toujours, même quand le temps était à l'orage et que la grêle rebondissait sur les tuiles de sa brasserie. Or, c'était là de sa part une mémorable preuve d'égalité d'humeur, car la grêle est la pire ennemie des tulipes, et les tulipes étaient l'unique chose au monde qui intéressait menherr Van Bogaert en dehors de ses brassins. On le voyait alors sous la voûte de sa porte, solidement planté sur ses deux jambes écartées, les pieds enfoncés dans la paille de ses sabots, les poings sur les hanches et sa vaste bedaine agitée par les saccades de son rire sonore : il regardait tomber l'eau, de l'air narquois d'un homme qui a de quoi réparer les bévues de la nature.

— Voilà du triste temps pour vos tulipes, menherr, lui disaient parfois les compagnons de la Piquerie.

— Ho, ho, ho, ho, ho ! répondait le brasseur ; celles de Saint-Maurice vont faire de la salade pour les limaçons, fieu, c'est sûr... ho, ho, ho, ho, ho ! mais celles de Tournai n'en gagneront pas moins le grand prix... ho, ho, ho ! et si ce ne sont pas celles de Tournai, ce seront celles de Harlem !

Le fait est que menherr Van Bogaert, en homme de précaution, tenait ses plants et semis en partie double dans les diverses propriétés qu'il possédait dans les Pays-Bas, de sorte qu'il pouvait à peu près à coup sûr narguer le mauvais temps, quand tout autre que lui se serait fait du sang noir comme la salive de Belzébuth.

Car il faut vous dire que, dans l'ancien temps, la passion des tulipes était chez nous la grande affaire des hommes de richesses, bourgeois et gentilshommes, et qu'il y avait des concours de pinsons, d'orphéons, des courses de chevaux, des expositions de machines et de tableaux. Il n'était pas rare de voir des gens ruinés en moins de rien par l'extravagance de leurs essais ou les dépenses de leurs exploitations, et d'autres enrichis subitement par un triomphe aux concours de Bruxelles ou d'Amsterdam, ou bien par la découverte d'une variété inconnue.

Menherr Van Bogaert, à qui tout réussissait, était aussi réputé par-delà la frontière pour sa collection de cayeux, qu'il l'était en deçà pour son jus de houblon. La vérité est que, tout en goguenardant et en ricanant, il tenait encore davantage au grand prix des tulipes qu'aux tonnes d'or que lui rapportaient ses rondelles [1] de bière.

Bref, l'année présente devait amener un grand événement dans l'agréable vie du gros seigneur de la Piquerie : il allait

_____
1. Tonneaux.

prendre part à son vingt-cinquième concours, autant vaut dire remporter son vingt-cinquième grand prix, et il s'était arrangé de manière à célébrer avec éclat son jubilé. Pour ce, il avait engagé les plus fins tulipiers des Pays-Bas et des Trois-Royaumes, lesquels avaient mis à contribution toute leur expérience pour produire quelque phénomène extraordinaire, c'est-à-dire une tulipe telle que les yeux d'un mortel n'en eussent jamais contemplé, depuis la grotte de Fingal jusqu'au pays des Cosaques qu'on appelle la Russie.

Il paraît que les choses marchaient suivant ses souhaits, car jamais les piqueurs de la Piquerie, en piquant leurs moellons, n'avaient entendu les joyeux éclats sortir si vigoureux des soupiraux de la brasserie, et jamais non plus ils n'avaient reçu si abondantes largesses de canettes, encore que le maître de céans n'en fût point chiche à l'ordinaire.

★
★ ★

Les affaires en étaient là et le concours approchait, quand, un beau matin, descendit à l'auberge de l'Écu d'Artois, rue des Malades, un quidam que personne ne connaissait mie et qui avait pour tout bagage une cage en osier mystérieusement enveloppée. L'étranger porta dans une chambre sa cage, dont il prenait autant de soin que si elle eût renfermé le fameux caniche des vieux contes qui secouait des perles, donna deux tours à la serrure et mit la clef dans sa poche, déjeuna d'une croûte de pain bis, se renseigna sur la demeure de menherr Van Bogaert et se mit en devoir de gagner la Piquerie.

Il faisait un temps superbe. Le ciel était si pur qu'on aurait pu compter les mouches qui jouaient aux barres autour du coq doré de l'église Saint-Étienne qui, pour lors, s'élevait sur la Grand-Place en face de la Grand-Garde, les kaiserlicks n'ayant point encore escarbouillé méchamment la bonne ville de Lille. Dans la Piquerie, les piqueurs piquaient et repiquaient comme des sourds : et pic et poc, et pic et poc, et pic et poc ! Et dans la brasserie on entendait une voix de Pantagruel, qui beuglait sans débrider : Ho, ho, ho, ho ! Ho, ho, ho, ho !

Le piteux étranger s'avançait à pas comptés au milieu de ce tintamarre.

— Menherr Van Bogaert, s'il vous plaît ? demanda-t-il à un Silène en sabots qui mâchonnait un fétu de paille, à califourchon sur un tonneau, sous le porche de la brasserie.

— Ho, ho, ho, ho ! Tu n'auras pas loin à aller pour lui taper sur le ventre, fieu, ho, ho !...

— Excusez, menherr, je ne vous connaissais point.

— Il n'y a pas d'offense, ho, ho, ho !...

— Menherr, je viens au sujet du concours de Brabant...

— Ho, ho, ho ! Par la panse de Gambrinus, voilà-t-il pas un tulipier bien troussé !... ho, ho !

— L'habit ne fait pas le moine, menherr.

— Ouais ? ho, ho ! ai-je donc mis sans m'en douter la main sur la bonde, ou bien est-ce que tu gouailles ?

— Non. Vous avez deviné juste. J'ai peiné fort et longtemps, mais j'ai fini par arriver : je tiens le grand prix, menherr, aussi vrai que vous brassez la meilleure bière de Flandre et d'Artois, et je viens vous proposer marché chrétien.

— Ho, ho, ho ! Je la connais, la ritournelle, beau ménétrier, voilà vingt-cinq ans qu'on me la serine. Après ça, il n'y a pas de mal, car chacun gagne sa vie comme il peut. C'est aux gros singes à ne point s'en laisser remonter par les petits, ho, ho, ho ! Allons, avale une canette et détale !

L'étranger ne broncha point.

— C'est votre dernier mot, menherr ?

— Ho, ho ! oui et non, ça dépend.

— Je ne suis point un aigrefin et n'entends point traiter chat en poche : je m'appelle Ducastel, tulipier au pays de

Liège, sans un sol vaillant, mais ne devant rien à personne. Ce que je dis, je le prouve, et ce que j'annonce, je le montre.

— Montrer quoi ?

— La tulipe noire.

— Ho, ho, ho, une tulipe noire ! Cela est la plus forte bière qu'on m'ait jamais brassée. Ho, ho, ho ! L'invention vaut mieux qu'une canette, fieu, elle vaut au moins une rondelle ! ho, ho !

— Oui, menherr, elle vaut même la brasserie tout entière.

— Ho, ho, ho, ho !

Le brasseur se tordait sur sa tonne ; jamais son ventre n'avait dansé si belle sarabande.

— Décidez-vous ! dit froidement l'étranger.

— Ho, ho,... tope, fieu ! répondit le gros homme, qui pleurait à force de s'esclaffer. Va mettre du sel sur la queue de ton merle blanc, ho, ho, ho !... Il faut du sel rouge, tu sais...

— Le merle est en cage, menherr... A bientôt !

L'étranger s'éloigna d'un pas rapide, laissant le brasseur se trémousser sur son tonneau.

Au bout d'une heurette, les piqueurs de la Piquerie s'arrêtèrent de piquer, ce qui était toujours l'indice de quelque événement extraordinaire. Le premier dit au second, qui le répéta au troisième et ainsi de suite :

— Voilà l'homme de tantôt qui retourne à la brasserie... Tout à l'heure, il ne portait rien ; maintenant, il porte une cage.

— Eh ! l'homme de là-bas, c'est-il que vous portez le diable en terre ?

— Ça serait-il pas plutôt des serins en travail de couvée ?

— Eh non, Jean, c'est bon pour des hommes de se faire traîner par leurs semblables !

Les calembredaines allaient leur train, et au fond, sous le grand noyer, on entendait comme une caisse roulante qui répétait toujours : « Ho, ho, ho, ho ! »

L'homme à la cage, tout pâle, se contenta de répondre aux gouailleurs :

— L'oiseau que je porte ci, mes gars, est une bête comme vous n'en avez jamais vu : elle est noire, sans poil, ni plume, n'a qu'une patte et pond des œufs d'or.

Il arriva enfin au porche, qu'encombrait la vaste bedaine de menherr Van Bogaert. Là, il déposa soigneusement sa cage, sans mot dire, en montrant d'un geste au brasseur deux personnages vêtus de noir qui débouchaient de la rue des Jésuites.

— Ho, ho, ho ! la fièvre me serre le gosier, si ce n'est point là Bernard, le tabellion, avec son maître clerc !

— Vous l'avez dit, menherr. J'aime les affaires en règle.

Bientôt après, les piqueurs de la Piquerie virent les quatre personnages s'enfoncer dans les profondeurs de la brasserie. Ils se remirent à piquer ferme pour regagner le temps perdu, et ils ne pensaient déjà plus à cette visite inaccoutumée, quand ils virent reparaître les quatre hommes : l'étranger n'avait plus sa cage, mais son blême visage était devenu rouge ; le tabellion tenait un rouleau de papier, le maître clerc serrait la vis de son encrier, et, chose pénible à observer, menherr Van Bogaert était silencieux.

*
* *

La semaine après, qui était celle du concours de Bruxelles en Brabant, les piqueurs virent avec stupéfaction six grands fourgons à quatre chevaux traverser le chemin de terre de la Piquerie et repartir bourrés du mobilier du brasseur devenu muet comme poisson.

Le lundi suivant, les gens de Lille apprirent que menherr Van Bogaert avait remporté son vingt-cinquième grand prix avec un sujet merveilleux : c'était une tulipe noire comme la nuit, la première que l'on eût vue sous la calotte des cieux depuis que le monde est monde. En raison de cette œuvre de génie, qui couvrait de gloire les tulipiers de Flandre en général et la ville de Lille en particulier, le prince des Pays-Bas avait décerné à l'illustre lauréat des honneurs extraordinaires — tellement qu'à partir de cet événement menherr Van Bogaert ne revint jamais dans sa vieille maison de la Piquerie.

Ce ne fut que bien longtemps après, quand survint le trépas de l'ancien brasseur, lequel mourut, dit-on, de la noire maladie — ce qui se dit chez nous pour l'hypocondrie — que les bonnes gens de Lille surent le fin mot de l'histoire : à savoir, que menherr Van Bogaert, plutôt que de revenir bredouille de son jubilé, avait troqué ses brasserie, caves et clientèle, le tout par-devant notaire, contre la tulipe sans pareille du sieur Ducastel, de Liège, lequel lui avait incontinent succédé à la Piquerie. Il faut rendre à la mémoire dudit sieur Ducastel la justice de constater qu'il ne souffla mot de l'aventure jusqu'au moment où le dernier des Van Bogaert alla goûter le houblon par la racine. Alors il changea l'enseigne séculaire de la brasserie de la Piquerie pour celle de Brasserie de la Tulipe, dont les Lillois de l'avant-dernière génération ont encore bu le jus doré et vu le porche voûté au fond de la rue de la Piquerie, devers le rempart du Calvaire.

À présent, de ce célèbre monument il ne reste miette : on a fait là une filature, les cardes tournent en grinçant à l'endroit même où le ventre de menherr Van Bogaert dansait la sarabande sous les hoquets gaillards de son propriétaire, et nul vestige ne subsiste pour transmettre à la postérité le souvenir de ce lieu fameux.

Voilà comme tout passe en ce bas monde.

H. VERLY

LE CANONISÉ MALGRÉ LUI

Depuis que le monde est monde, ou, pour ne pas remonter si haut, depuis les temps barbares où le suffrage universel préféra un galérien au Fils de Dieu, le véritable jour de l'abomination de la désolation vaguement annoncé par les prophètes est l'objet des commentaires les plus divers. Sur ce point, comme sur beaucoup d'autres, chacun raisonne à sa fantaisie et décharge plus volontiers sur son prochain que sur soi-même les anathèmes des saintes Écritures, ce qui est dans l'ordre ; au demeurant, il n'est juste ou pécheur qui n'ait dans sa vie son jour maudit, si ce n'est les mal embouchés et les claquedents qui en comptent un toutes les vingt-quatre heures.

Pour les bonnes âmes d'Avelin — baronnie qui relevait du châtelain de Lille pour le temporel, et de l'évêque de Tournay pour le spirituel, comme tout le monde sait — ce jour fut le 11 ventôse de l'an septième de la République française, une et indivisible. Car ce jour-là, que les ci-devant auraient platement appelé le 1er mars 1799, la *Bande noire* commença à mettre force pioches dans les murs de l'église d'Antreuille, qui était la principale paroisse du territoire d'Avelin. Cette église était un monument fameux que les anciens seigneurs du lieu s'étaient plu à enrichir et à embellir, si bien que ses vitraux chatoyants, ses hautes voûtes à nervures, ses minces colonnettes, ses rosaces compliquées, ses broderies de pierre, ses frises foullées, ses enfilades de statuettes, ses splendeurs de toute espèce, faisaient la gloire de ce petit pays et l'orgueil de ses habitants.

Or, à la suite du glorieux événement qui avait remis le peuple en possession de ses droits, ladite église avait été déclarée propriété de la nation et en cette qualité vendue, comme de juste, pour une bouchée de pain aux gens subtils qui s'apprêtaient maintenant à en faire des mille et des cents.

Quand les ouvriers de Lille attaquèrent la tour, qui était ouvrée à jours comme la guimpe d'une marquise, il se trouva, parmi les gens qui les considéraient, plus d'un bon drille pour lever bêches et râteaux à l'effet d'étriper ces sacrilèges. Mais alors arriva, à point nommé, un quidam qui leur exposa proprement comme quoi la vente de l'édifice était la preuve incontestable de la souveraineté du peuple, pourquoi sa disparition importait absolument au salut de la patrie, en ajoutant que d'ailleurs les ouvriers céans n'étaient pour rien du tout dans cet événement mémorable, vu qu'ils démolissaient simplement parce qu'ils étaient démolisseurs de leur métier et qu'on les avait payés pour démolir. Ce discours arrêta les gars d'Avelin, encore qu'ils n'y eussent pas compris grand-chose ; ils rabattirent leurs bêches, remirent leurs râteaux sur l'épaule et s'en furent, en laissant là leurs chacunes caqueter comme pies en ramée et compter une à une les pierres sculptées qui s'émiettaient en dégringolant.

Il ne fallut pas plus de deux décades révolutionnaires pour mettre à bas ce monument que la tyrannie avait mis on ne sait combien d'années à parachever. Au lieu de dresser auda-

cieusement dans le ciel bleu sa tour de dentelle et ses cloche-
tons capricieux, comme une aristocrate qu'elle était, l'église
d'Antreuille représentait maintenant une belle provision de
moellons proprement alignés comme dans le chantier d'un
tailleur de pierres, et tout prêts à être troqués contre espèces
trébuchantes et sonnantes au plus offrant. La nation — à la
seule exception des gens d'Avelin, qui s'obstinaient à n'y
comprendre goutte — devait être tout à fait satisfaite du zèle
de ses enfants, et la *Bande noire* itou, vu que les brèves
affaires sont toujours les meilleures.

Or, si hâtif avait été le labeur qu'au bout de dix-neuf jours
de besogne à faire suer les pioches, de la vieille église il ne
restait à défaire que le pavé de dalles et de mosaïques. De
celles-ci les *noirauds* ne se souciaient mie, et ils auraient
volontiers baillé aux petits gars d'alentour le droit d'en faire
des munitions contre noix et pommes ; mais les larges dalles
bien plates et correctement équarries formaient ce qui s'appelle une belle marchandise à manipuler avec ménagement.
Les commères qui assistaient, consternées, à l'exécution de
leur vieille église, eurent au moins la consolation de voir
qu'après tout on y mettait des formes, et que chaque pierre
du pavé était déplacée et empilée sur les précédentes avec les
égards désirables. Au surplus, ces bonnes âmes buvaient,
sans le savoir, les dernières gouttes du calice d'amertume, et
elles allaient recevoir en jubilation sainte l'équivalent de leurs
tribulations : il était écrit là-haut que l'œuvre devait tourner à
la confusion des mécréants et à la gloire de l'Église, comme
on l'a toujours vu *per omnia sæcula sæculorum*.

Voici comment se manifesta l'intervention céleste. Les
démolisseurs s'étaient mis après une dalle plus grande que les
autres, et tant était lourde celle-ci que, pour la soulever, force
fut d'appeler à l'aide tous les compagnons. L'affaire étant de
conséquence, les commères s'approchèrent et avec elles les
gars qui bûchaient aux champs d'à côté ou qui passaient sur

le chemin. Ce monde contristé et goguenard fit cercle autour des démolisseurs qui besognaient ferme et suaient d'ahan. Finalement, la pierre se déchaussa lentement, se souleva, glissa, pivota en éventrant d'un de ses coins un cercueil qui gisait dans le trou qu'elle laissait béant, puis, entraîné par son poids, s'abattit à revers en escarbouillant trois ouvriers et en se brisant elle-même.

Les gens d'Avelin ne se tenaient d'aise à l'aspect de cette purée, au fond de laquelle ils entr'apercevaient le doigt de Dieu. Mais ce fut une bien autre affaire quand ils jetèrent les yeux sur la fosse violée, et qu'entre les ais disjoints du cercueil ils aperçurent le visage d'un homme si parfaitement frais qu'il paraissait dormir, bien que ce mort fût si antique qu'aucun des anciens du pays ne le connaissait peu ni prou.

C'était un vieillard avec une barbe vénérable, qui, à en juger l'armure rongée de rouille qui couvrait son corps, avait dû être, dans des temps reculés, un guerrier comme le glorieux saint Maurice.

Son cercueil, qui était d'un bois rare, aujourd'hui vermoulu, et son enveloppe de plomb amincie par les siècles et déchirée par le coin de la lourde pierre, prouvent la vénération de ceux qui l'avaient enseveli ; et la protection extraordinaire dont l'avait honoré la Providence démontrait, clair comme le jour, que ce personnage devait occuper dans le ciel une place à la dextre de l'Éternel.

Quand ils virent ce prodige, les gens d'Avelin furent saisis d'un grand enthousiasme religieux ; ils commencèrent par se prosterner la face contre terre, pour chanter la gloire de Dieu, sans plus s'occuper des ouvriers démantibulés ; puis ils se précipitèrent sur le cercueil miraculeux qu'ils mirent en pièces pour en faire des reliques, et enfin sur les vêtements et la quincaillerie du trépassé, qui constituaient des reliques encore meilleures. Ce fut un délire de foi, auquel se mêlait aussi la joie de voir le Seigneur prendre visiblement parti pour ses fidèles et manifester sa puissance à leur bénéfice.

Ces gens échauffés se répandirent par le pays en chantant *Hosannah* et portant en triomphe les reliques qu'ils avaient conquises ; alors ceux qui les entendaient détalaient dare-dare pour aller quérir leur part de ce butin céleste ; tant il y a que, de Templemars à Annœullin, Pont-à-Marcq et au-delà, toute la contrée fut sens dessus dessous. Des processions de pèlerins affluaient des quatre points cardinaux pour voir le corps du bienheureux si étonnamment préservé de la pourriture qui est le sort du vulgaire des pêcheurs, et qui, maintenant qu'on lui avait pieusement volé sa maison ultième et ses dernières nippes, gisait en sainte nudité au fond de sa fosse.

Les favorisés du premier jour, qui avaient eu la chance d'emporter un bon morceau de planche ou une loque importante, divisèrent le plus possible ce souvenir béni afin d'en vendre les fragments aux nouveaux venus ; ils s'en firent de si beaux profits qu'une vieille méquenne [1] d'Antreuille conçut la pensée de vendre sa propre défroque et réussit à souhait dans cette damnable entreprise. La Providence ferma les yeux sur ce sacrilège, qui ne fut révélé que plus tard, et elle fit bien.

Toute chose ayant un terme ici-bas, arriva le moment où personne n'eut plus rien à brocanter. Alors, la ferveur des pèlerins menaçant de déchiqueter le cadavre lui-même, les citoyens administrateurs du district de Seclin le firent inhumer de nouveau pour lui épargner cette profanation. Sur la nouvelle tombe, l'autorité fit intelligemment reproduire la seule partie qui lui parût lisible de la grande dalle usée par les pieds de tant de générations :

S LADRON

---

1. Servante.

à quoi les populations émues reconnurent que le corps miraculeusement retrouvé était celui de saint Ladron.

À la suite de cette découverte, les processions recommencèrent de plus belle ; d'où l'on peut conclure que la dévotion à saint Ladron précéda alors, en France, la restauration du culte de Dieu lui-même. On venait de Douai, d'Arras, de Tournay, de Lille, de Dunkerque, en un mot de l'Artois, de la Flandre, du Hainaut et du Tournaisis, pour rendre hommage au martyr — car on avait observé sur le cadavre des traces évidentes d'un supplice compliqué ; on lui amenait des souffreteux à réconforter, des estropiés à rétablir, des femmes enceintes pour virer leur fruit au sexe masculin, des femmes stériles pour les faire fructifier, des bestiaux malades pour les guérir, des germes pour accroître le rendement, etc., et nombre de clients plus ou moins exaucés s'en allèrent contents chanter au loin les louanges et le crédit céleste de saint Ladron. Par ainsi, la réputation du bienheureux s'étendit si fort et l'engouement de ses chalands devint tel, qu'avec tout le respect qui lui était dû, la foule exaltée l'exhuma trente et une fois pour le voir, le toucher, le frotter, le baiser, et lui subtiliser de nouvelles reliques.

Les citoyens administrateurs de Seclin étaient certes des hommes sages et patients, mais à la fin des fins la patience leur faillit. Au risque de se mettre à dos tous les aubergistes et taverniers d'alentour, qui retiraient honnête bénéfice de cette vogue extraordinaire, ils ordonnèrent que le corps de saint Ladron fût transporté au cimetière d'Avelin, ce qui fut fait. En ce lieu, il était protégé contre toute exhibition nouvelle, la loi étant roide à l'endroit des violateurs de tombes, quels qu'ils soient. C'est là qu'il dort, dans la paix du Seigneur, au bruit flatteur des oraisons des bonnes gens.

*

*   *

Or, il advint, quelque vingt ans plus tard, qu'un vieil antiquaire, animé d'un grand zèle pour le culte de saint Ladron, résolut de se mettre en quête de toute chose susceptible d'élargir l'auréole de gloire de ce bienheureux, sur le compte duquel les Pères de l'Église avaient gardé un silence inexplicable. Il se transporta de sa personne vers le lieu béni où la belle église d'Antreuille couvrait naguère de ses arceaux cette tombe glorieuse et se sentit pénétré d'une joie suave quand, après avoir fouillé et retourné mille fragments de pierre au milieu des orties et des folles herbes, il eut réussi à rassembler les diverses parties de la dalle funéraire. La sainteté de son entreprise lui donnant force, patience et persévérance, il passa des jours et des jours à gratter, à épeler, à déchiffrer l'inscription fruste. Enfin, il réussit à la reconstituer tout entière, depuis *Hic jacet* jusqu'à *Requiescat* ; et alors il connut la raison du silence des Pères de l'Église. D'aucuns assurent qu'il en fit une grave maladie, tant il est vrai que le chemin de la vérité est rude à parcourir.

En un mot comme en cent, aucun saint du nom de Ladron ne figurait sur les contrôles du bataillon céleste, et le trépassé remis au jour par les démolisseurs d'Antreuille était simplement, de son vivant, un Espagnol de qualité : « haut et puissant homme don Luis Ladron de Guervara, mestre de camp, gouverneur d'Ostende pour Sa Majesté Catholique le roi de toutes les Espagnes, époux de noble dame Charlotte Allegambe, du Vertbois, d'Antreuille, Marque en Pévèle et autres lieux », duquel il est parlé, pour sa gloire militaire, dans les écrits de Strada et du seigneur de Brantôme ; qui naquit à Anduxar et périt âgé de quatre-vingts ans, au combat de Nieppe, le 8 avril de l'an 1639, ayant un biscaïen dans l'épaule, une mousquetade dans le dos, et trois grands coups de rapière au travers de la tête.

Il n'en faut pas tant pour occire un honnête homme, et le seigneur de Guervara avait certes bien gagné le droit de se reposer son soûl. On lui avait choisi pour cela l'église de son domaine d'Antreuille, où le sol est sec et calcaire ; et le bon état dans lequel on l'a retrouvé, un siècle et demi plus tard, prouve que ses héritiers étaient gens experts en la matière. Sans aucun doute, le vieux brave aurait conservé ses avantages jusqu'au moment où le clairon des archanges sonnera le boute-selle du jugement dernier, si les gens d'Avelin ne l'avaient ainsi canonisé d'autorité.

Au surplus, comme c'était à bonne intention, il n'est pas fondé à s'en plaindre, encore qu'il se soit probablement gaussé de la méprise, du haut des cieux, où je veux croire que Dieu a recueilli son âme de grand d'Espagne.

Quant aux bonnes gens d'Avelin, on leur a caché avec soin la découverte incongrue de l'antiquaire, à seule fin de ne point leur faire de chagrin ; aussi ont-ils pieusement conservé leur dévotion à ce saint qui n'existe pas, lequel d'ailleurs continue à mériter leur confiance en laissant guérir ceux qui doivent guérir et crever ceux qui doivent crever. On a même vu plusieurs névroses disparaître subitement après une neuvaine faite avec la conviction convenable sur la tombe du mestre de camp... Ce qui prouve combien les hommes doctes ont raison de dire que c'est la foi qui sauve.

H. VERLY

LA CHAPELLE À SAINT GANGOEN...
ET DEUX AUTRES AUSSI !

Il est, entre Hazebrouck et Bailleul, un petit village qui répond au nom bien de chez nous d'Outtersteene. À l'entrée de ce charmant pays, en venant de Bailleul, sur la gauche, se situe une chapelle dédiée à saint Gangoen.

Ne cherchez pas dans vos encyclopédies ou même dans le très savant dictionnaire d'archéologie chrétienne et de liturgie, vous ne trouveriez point le saint dont il est ici question. Et ce serait bien normal, après tout, puisque ce saint homme n'existe pas : il est le fruit de l'imagination de quelques Flamands qui, après avoir invoqué saint Julien pour la coqueluche, saint Roch pour les épizooties, saint Gowaert pour les rhumatismes, sainte Apolline pour les dents, sainte Godelieve pour les maux de gorge, et j'en passe ! se sont pris à penser que ce serait tout de même bien, miynheer, si on pouvait, aussi, prier un saint pour que tout puisse « aller bien » : et c'est ainsi que « Gangoen » prit place au Panthéon flamand.

Or donc, quand les choses vont bien pour nos Flamands mais surtout pour nos Flamandes, cela veut dire que chaque jeune fille en âge de se marier se doit de rencontrer un galant, de bonne condition sociale de préférence et, si possible aussi, jeune et beau garçon. De toutes les façons, ils sont tous comme ça par chez nous !

C'est là que Gangoen est sollicité : la jeune fille en mal d'amour s'en va à la chapelle du saint, lui fait sa première petite prière, fait trois fois le tour de l'édicule, fait sa deuxième prière et s'éloigne le cœur léger, le sourire aux lèvres et l'espérance chevillée au corps.

En général c'est une affaire qui marche : dans les jours qui suivent, notre jeunette se fait courtiser par un Adonis local. Mais il ne suffit pas de conter fleurette, il faut aussi que le galant déclare sa flamme et sollicite le mariage qui, seul, chacun le sait depuis l'époque des trois Vierges de Caestre, autorise certaines privautés. Et pour assurer le résultat, rien de tel qu'une deuxième visite à saint Gangoen, trois petits tours entre deux prières, et la suite du programme se déroule à merveille, comme souhaité.

Arrive alors la cérémonie du mariage, dont la suite logique est la conception de moult petits Flamands, aussi gaillards que nombreux, toujours avec la bénédiction, sinon le secours, du bienveillant Gangoen. Et puis un jour, il faut tout de même que cela cesse, l'on se déplace en famille à l'oratoire : trois petits tours, chacun, entre deux prières, toujours chacun, et avec tout ça si Gangoen ne tarit pas le Pit'je, c'est à n'y plus rien comprendre, godverdom !

Mais ces Flamands, il faut que cela mange, et donc ça coûte cher : alors il faut qu'ils rendent service à la ferme, aux champs, en ville, au marché, et pour cela il vaut mieux qu'ils grandissent le plus vite possible. Alors, encore une fois, on va voir saint Gangoen et... après tout, vous connaissez la suite et ça n'est pas la peine que je continue à me fatiguer !

Le problème c'est que, le diable s'en mêlant, il se mêle toujours de tout celui-là ! il arrive parfois que Gangoen ne satisfasse pas à la demande. Non pas qu'il fasse la grève, qui lui est interdite par le règlement intérieur de l'association des saints flamands déclarée aux cieux depuis le bon saint Éloi, mais tout simplement, il lui arrive d'être surchargé de travail et de tomber en panne !

Alors, alors... le Flamand pensant à tout dès qu'il y va de son intérêt, vous pouvez aussi trouver à Outtersteene, à la sortie du village, sur la route qui va à Merris et Hazebrouck, une chapelle dédiée à sainte Rita... la patronne des causes désespérées : et là, ça marche à tous les coups, et c'est si vrai qu'il n'y a pas bien longtemps, sur le lieu du pèlerinage traditionnel à sainte Rita, à Vendeville près de Lille, la capitale des Flandres, une société de spiritueux a élevé une statue à ladite sainte dans l'espoir que la sainte lui en serait reconnaissante. Mais ça, personne encore n'a jamais su dire si les affaires en marchaient mieux : peut-être qu'on devrait le demander à notre Gangoen ?

Revenons dans notre Flandre intérieure, boisée, verdoyante et fleurie, je veux parler du pays de l'Houtland, ce qui veut dire « Pays au Bois », où s'est déroulée, il n'y a pas si longtemps, la plus malicieuse histoire de chapelle qu'il m'ait été donné d'entendre !

Jules Stuutevrager était un bon ouvrier, qui donnait toute satisfaction à son patron, scieur de long au Mont-Noir, car il n'y en avait pas deux comme lui pour abattre la besogne.

Mais voilà, Jules habitait Boeschepe, où il revenait tous les soirs, à pied, car les ouvriers n'avaient pas le moyen de se payer un vélo en ce temps-là.

Son chemin le faisait passer près de l'enseigne du Voshol, et c'était bien heureux pour lui de trouver cet estaminet sur sa route. Ça permettait de couper le trajet et de faire une petite pause.

L'hiver, on voyait la lumière de loin, et ça donnait du courage pour marcher dans la neige : il allait bientôt se réchauffer les doigts et aussi le gosier.

L'été, on le voyait de loin, et ça donnait du courage aussi : il allait bientôt pouvoir essuyer son front sous sa casquette et rafraîchir le même gosier.

Jules savait bien qu'il ne serait pas tout seul à faire une pause au « Refuge du Renard ». Il savait bien aussi qu'il ne pouvait pas refuser une petite partie de cartes, avec les habitués de la table du fond.

Chaque partie de cartes qui se terminait représentait un nouveau verre à chacun pour ceux qui avaient perdu, et un deuxième verre pour ceux qui avaient gagné, car il fallait arroser ça !

On ne buvait que de la bière, et de la petite bière en tonneau ; mais, au bout d'une dizaine de parties, la « batteuse bier », comme on disait, faisait de l'effet. Il fallait bien avouer que les joueurs ne voyaient plus très bien les cartes.

Et l'on se séparait, chacun flageolant sur ses jambes, pourtant solides d'ordinaire, mais déjà fatiguées par une longue journée de travail.

Jules supportait peut-être moins bien la bière que ses acolytes ; en tout cas, le retour à la maison était à chaque fois une véritable expédition.

Butant aux cailloux, il faisait trois pas en courant, les mains en avant, puis c'était la bordure d'herbe qui le faisait déraper vers le fossé, d'où il s'extirpait le mieux possible, avec plus de bonne volonté que de résultats.

Enfin, quand il poussait la porte de sa petite maison, c'était chaque fois un chagrin pour sa femme Irma, qui avait déjà préparé la bassine d'eau chaude pour que Jules se lave.

Jules ne mangeait plus le soir, à part trois-quatre tartines avec du lard, et une assiette de soupe ; mais qu'est-ce que c'était ça pour un homme ! Et Irma était triste : un homme si bon, si courageux, c'est quand même quelque chose qu'il soit porté sur la boisson !

Mais Jules n'était pas méchant, c'était le brave homme, un bon chrétien qui n'aurait pas fait de mal à une bête, et qui n'avait jamais dit à sa femme que, sans elle, il se sentirait perdu.

Bon chrétien, il n'éprouvait pas plus le besoin de le montrer ; mais il y a des choses qui ne trompent pas : le soir, en rentrant à la maison, il passait devant une petite chapelle. Il ne manquait jamais, malgré son esprit un peu embrouillé par la bière, de regarder par les carreaux de la porte. Après une esquisse de génuflexion, il enlevait toujours sa casquette et adressait à « Onze Vrouwe » une bribe de prièrc : « Je vous salue Marie, pleine de grâce... » puis, il reprenait sa route, en titubant et en sifflotant de ses lèvres empâtées... Il était heureux !

Mais il arriva que la bonne Irma se dit : « Ça ne peut pas durer comme ça ! Je dois faire quelque chose... et pas plus tard que demain soir !... »

C'était en octobre, et le soir tombait vite ; on était le lendemain et Jules allait bientôt (et bien tard) rentrer. Il s'arrêterait comme d'habitude à la chapelle, et Irma connaissait sa petite formule de salutation.

Alors, elle prit, dans le tiroir, quatre bougies qui attendaient là une panne de pétrole. Puis elle courut vers la chapelle.

La porte vitrée s'ouvrait facilement par une clenche en bois qu'on levait en passant son doigt par un trou. Irma entra, disposa les quatre bougies dans les chandeliers qui accompagnaient la statue de la vierge.

Les ayant allumées, elle resta à l'intérieur et referma la porte, derrière laquelle elle s'accroupit.

Jules arrivait déjà, en prenant tout son temps, butant aux pierres, grommelant tout seul, s'arrêtant un long moment

pour pisser. Il atteignit le petit trottoir en briques qui annonçait la chapelle.

« Tiens ! de la lumière, sans doute que c'est la neuvaine. »

Pliant insensiblement le genou, il enleva sa casquette :

« Je vous salue Marie, pleine de grâce... »

C'est à ce moment-là que sa femme devait intervenir.

Toujours accroupie derrière la porte, avec son châle sur la
tête et un tour rejeté sur son épaule, car il faisait froid à
attendre, elle répondit, d'une voix ferme et assurée, appuyant
sur le ton de reproche :

« Et moi, je ne te salue pas, gros ventre plein de
bière !... »

L'effet fut instantané. Jules recula dans un sursaut, laissant
tomber sa casquette. Ratissant prestement le sol en briques
avec ses gros doigts de scieur de long, il la retrouva et l'enfonça sur ses oreilles.

Puis la panique prit le dessus : lui qui marchait pénible-
ment quelques minutes auparavant, se mit à courir comme si
les Anges, les Archanges, les Trônes et les Dominations lui
avaient botté le derrière.

Il courait de plus en plus vite, au fur et à mesure que les
vapeurs de bière laissaient place à l'oxygène, amené brusquement à ses poumons par cet exercice inhabituel.

Irma se rendait compte des progrès de la course, par l'ac-
célération des frtt frtt frtt que faisait son pantalon de velours
à côtes.

Jules s'énerva sur la clenche de la porte, qu'il referma vite
derrière, et s'affala sur sa chaise qui gémit. Un moment
après, il allumait la lanterne à pétrole qui pendait au-dessus
de la table du milieu ; il était complètement dessoûlé.

C'est l'instant que choisit sa femme pour rentrer par la
porte de derrière.

— Tiens, Jules, tu rentres de bonne heure ! ça va
pas ? t'es tout drôle !

— Si, si, ça va très bien.

— Ah ! tant mieux, je suis contente, je reviens juste de la neuvaine à Notre Dame de la Peur !

— Je sais, répondit Jules.

Depuis ce jour-là, il fit bien attention à ne plus se laisser aller trop à la boisson ; il demandait, à la patronne du Voshol de lui servir sa bière dans une plus petite chope, « pour ménager son estomac qui lui donnait de la peine ».

Jules Stuutevrager ne parla jamais de la statue miraculeuse autour de lui. Mais quelque chose le troublait. Pourquoi sa femme lui avait parlé d'une neuvaine en octobre, alors que ce n'est pas la date... Pourquoi aussi lui avait-elle parlé de Notre Dame de la Peur, dont la chapelle se trouve de l'autre côté de Boeschepe... Mais, j'y pense, la voix de la statue, je la connaissais bien ! ! ! Nom de vingt noms, la chipie !

Éric Vanneufville et
Dieudonné Copin

L'HISTOIRE (PRESQUE) AUTHENTIQUE ET VÉRIDIQUE DE « PAET'JE POORT »

La Grande Guerre, celle qui avait vu tomber tant de fils de Flandre, des deux côtés de la Schreve [1], venait à peine de se terminer que déjà les cloches de l'église du village d'Uxem sonnaient à toute volée et répandirent un peu d'allégresse et d'espoir dans le cœur des Boeren [2] du plat pays de Flandre maritime : c'était jour de fête au village, c'était le baptême du premier né d'Henri et Irma De Poorteere, que chacun connaissait si bien à Uxem. Comme Henri surtout était fier de son « Bout'je » ! car c'était un garçon n'est-ce pas ! Oui, vraiment, après les sombres années encore si proches, l'avenir s'annonçait prometteur !

Il le fut en effet : peu après Lucien, car tel était le prénom qui avait été donné au vigoureux bambin, vinrent Elsa, Lucie, Germaine, Lazarie, Gratienne, etc. Si bien que Lucien se vit à la fin affublé, car dans ces circonstances il n'y a vraiment rien d'autre à dire, de dix-huit sœurs ! Le pauvre chéri avait beau poser l'oreille avec amour et impatience sur

---

1. Frontière.
2. Paysans.

le « buik [1] » de sa maman quand il était gros, ce qui était d'ailleurs son état le plus fréquent, chaque arrivée sur notre bonne terre de Flandre était imperturbablement ponctuée par la même annonce : « Het's 'n meisje ! [2] » bientôt quelque peu modifiée il est vrai en « nog'n meisje ! [3] ».

Comme si les charges familiales n'avaient pas suffi, ce gros « mijnheer » d'Henri s'était mis en tête après quelques années de mariage et de paternité bénis par notre Seigneur, de devenir... Parrain ! Godverdom, il fallait voir la tête d'Irma quand il lui avait annoncé sa décision, ferme et irrévocable, comme d'habitude ! L'on se mit donc en quête de parents volontaires pour satisfaire ce dernier caprice d'Henri. Il faut dire que l'on chercha longtemps car notre homme était connu à des lieues à la ronde. Finalement l'on en trouva, en Flandre intérieure, dans la bonne ville de Bailleul. Ses parents l'avaient prénommé Marcel. Ma foi, ce fut un beau baptême. Les De Poorteere firent très bonne impression et tous les participants trouvèrent la petite famille absolument « charmante ». L'on vit même s'allumer dans certaines prunelles féminines quelques lueurs d'envie.

Pourtant à la ferme d'Uxem, la vie n'était pas toujours drôle. Et plus les ans passaient, plus il devenait décidément bien difficile de satisfaire les nombreuses petites bouches. Alors il fallut bientôt prendre des mesures : l'une après l'autre toutes les petites filles d'Irma et Henri furent envoyées quémander dans les fermes environnantes, qui des pommes de terre, qui des œufs, qui 'n litje kaas [4] ; et comme sur notre bonne terre de Flandre les gens de cette époque avaient tous l'esprit d'entraide, il ne se passa jamais un jour

---

1. Ventre.
2. C'est une fille !
3. Encore une fille !
4. Un peu de fromage.

sans que la table familiale fût apprêtée de plats suffisamment garnis pour que chacun mange à sa faim ! Ah bien sûr, lorsque d'aventure il y avait un morceau de viande, c'était le « vader » qui se le réservait. Les enfants, eux, devaient se contenter de Paepe [1], de Carne Melk [2], qu'ils appréciaient comme il se doit d'ailleurs !

Vint un jour où le petit Marcel, de Bailleul, à force de manger de la soupe bien sûr, quitta l'état de kreut'je [3] puis de jonge [4] pour passer à celui de manneke [5]. Vous avez tous compris que ce fut donc un beau gars bien bâti et sûr de lui comme le sont tous les adolescents, qui décida un beau jour d'aller rendre visite à son parrain d'Uxem qu'il n'avait encore jamais vu depuis sa naissance ! Comme en bon filleul respectueux des bons usages il avait fait prévenir de son arrivée notre Henri, ce dernier l'attendait sur la rue à l'entrée d'Uxem. Et Marcel, qui n'avait pas sa langue dans sa poche et qui avait bien remarqué que le mijnheer en face de lui ressemblait beaucoup à celui qui figurait en photo à la maison de ses parents à Bailleul, se planta face à Henri et dit sans crainte à cet homme qu'il voyait pour la première fois : « Ik kom Van Belle Dag, Paet'je [6]. » Le Paet'je en question demeura quelque peu interloqué devant cet aplomb. Il faut vous dire qu'en flamand de chez nous Paet'je est un terme d'affection que l'on donne à son parrain. Mais quand l'on a près de vingt ans et que c'est la première fois que l'on voit son parrain... tout de même !

Notre Paet'je donc n'était pas au bout de ses surprises.

---

1. Bouillie.
2. Lait battu.
3. Gamin.
4. Jeune homme.
5. Petit homme.
6. Je viens de Bailleul, bonjour parrain !

Lorsqu'il demanda à Marcel où était le cadeau qu'il aurait dû lui apporter, notre manneke lui déclara que d'habitude c'était plutôt le parrain qui offrait un cadeau à son filleul ! Et comme tout cela était tombé dans l'oreille des petites filles d'Henri, et que l'on sait que les filles sont par nature bavardes, tout le village sut bientôt qu'Henri De Poorteere venait de se faire clouer le bec par un manneke qui l'avait surnommé « Paet'je Poort [1] », surnom qui devait désormais lui rester.

Paet'je Poort donc, n'était pas rancunier. Au fond il était même content d'avoir un filleul qui n'avait pas froid aux yeux. Il entreprit de faire visiter sa ferme à Marcel. Ce dernier, entouré de tant de jeunes filles, se sentit bientôt tout à fait à l'aise chez son parrain. Il eut quand même plusieurs surprises : ainsi le jour où Paet'je lui montra le grand lit, très haut, où il dormait avec Irma et lui expliqua qu'ils y montaient tous deux par une échelle, parce qu'ils ne pouvaient dormir tous les deux, lui et Irma, que bien en hauteur ! Le puits aussi l'étonna : Dame ! il en fallait du courage pour tirer de l'eau depuis vingt mètres de profondeur ! Mais la plus grande surprise, il l'eut le jour où Paet'je voulut fêter dignement son anniversaire.

Paet'je Poort était un homme aux goûts très simples. Depuis le jour de sa naissance, il n'avait jamais eu l'occasion de voir la mer, pourtant toute proche, et il ne savait pas non plus ce qu'était le chemin de fer. La ligne Dunkerque-Lille n'était pourtant pas loin ! Mais quand il avait décidé de s'amuser, il le faisait, et plutôt bien ! Marcel eut tout loisir de s'en apercevoir. Ce matin-là Paet'je alla lui-même chercher quelques lapins qu'il fit préparer aux pruneaux par Irma ; il se procura aussi de la bonne bière de pays et s'appliqua consciencieusement à surveiller la cuisson du four à pain,

---

1. Parrain De Poorteere.

qui, ce jour-là, vit sortir beaucoup de gâteaux. Après ce plan-
tureux repas, Paet'je se mit en tête d'aller rendre visite à
quelques habitants du village. Et comme on l'aimait bien, on
le fêta dignement avec force vins et alcools, si bien qu'à la
nuit tombante, au lieu de rentrer chez lui affronter les
remontrances de sa tendre et douce Irma, notre bon Paet'je
préféra aller passer la nuit dans la prison communale toute
proche plutôt que dans son lit, trop haut pour lui ce soir-là !

Le lendemain, pour ne pas subir trop de reproches, il ima-
gina un stratagème : rentré à la ferme, il se prétendit malade,
gravement malade. Sa chère Irma le coucha aussitôt et,
jugeant sa mine comme celle d'un homme prêt à mourir,
envoya quérir monsieur le curé. Sitôt que ce dernier fut seul
dans la chambre du soi-disant mourant, Paet'je lui dit qu'il
ne fallait pas s'inquiéter, que son heure n'était pas venue, et
qu'il allait d'ailleurs se lever pour aller manger les bonnes
pommes au four que préparait justement sa chère femme et
dont la bonne odeur ne lui donnait pas du tout l'envie de
recevoir l'extrême-onction... qu'il reçut quand même, comé-
die oblige !

Mais Marcel ne fut pas présent quand Paet'je et Irma
connurent ce qui fut sans doute le plus beau Noël de leur vie.
Un dimanche de décembre, peu après la Saint-Nicolas qui
avait mis en joie tous les petits enfants de Flandre, le curé
d'Uxem monta en chaire et fit un très beau sermon sur la
générosité et l'amour de son prochain. Et pour que ses
paroles ne restent pas vaines, il proposa à ses paroissiens de
donner la preuve de ces qualités à l'occasion du prochain
Noël. Justement tout le monde connaissait bien le drame que
vivait Irma, la femme de Paet'je Poort. Elle, si croyante, si
pieuse, ne trouvait jamais le temps d'aller assister à la sainte
messe tant sa nombreuse famille lui demandait soins et atten-
tions. Alors, pour Noël, on pourrait peut-être...

Et c'est ainsi que le 24 décembre au soir, Paet'je et Irma

virent arriver chez eux quelques femmes du village, les bras chargés de cadeaux, et surtout de bonnes friandises qui faisaient le bonheur des enfants. Paet'je et Irma n'eurent pas le loisir de discuter. D'ailleurs l'auraient-ils voulu ? Toujours est-il que cette fois-là, ils purent enfin assister, très émus, à la messe de Noël, celle de Minuit. Et au retour chez eux ils eurent encore le plaisir de voir à quel point leurs enfants avaient été bien soignés par les bonnes volontés du village. Longtemps dans la nuit étoilée, l'on entendit les cris de joie des petites filles fuser, clairs, vibrants témoignages de la solidarité de Noël.

Après cela, notre bon Paet'je vécut bien encore quelques années. Il ne mourut qu'à plus de quatre-vingts ans, peu après Irma. Mais aujourd'hui, à Uxem, demeurent sa maison et l'une de ses filles.

Si le cœur vous en dit...

Éric VANNEUFVILLE

LE NOËL DU PÈRE

Debout sur le pas de sa porte, il regardait et regardait encore. L'homme ne pouvait se lasser d'admirer son village. Sous la mince couche de neige tombée ce 24 décembre 1925, il avait pris l'aspect calme et reposant qui convenait si bien aux veilles de fêtes. N'allez pourtant pas croire qu'il dormait, ce village !

Sur la place où se serraient frileusement des maisons typiques de la Flandre, fusaient des rires clairs et sonores. Des enfants, agglutinés en grappe, décoraient le grand sapin venu de fort loin.

L'homme qui regardait avait le maintien modeste et pourtant noble des gens que rien, sur la terre, ne peut plus surprendre. Grand, les cheveux grisonnants, solide encore, il devait avoir largement dépassé la soixantaine. Ainsi posté, c'était l'ancêtre des grandes familles, tel que, jadis, les peintres le campaient.

Aloÿs, car tel était son nom de chrétien, leva les yeux encore une fois vers le ciel étoilé, tellement scruté déjà en tant de nuits de Noël, puis il rentra lentement dans sa maison. Celle-ci n'était ni grande ni riche, mais il s'y sentait bien. Il y était né ; chaque coin lui remettait en tête de multiples souvenirs : de la cheminée à la vieille table en chêne au centre de la pièce principale.

Aloÿs alla s'asseoir sur la chaise à grand dossier située près de l'âtre et regarda l'heure à la vieille pendule. « Encore trois fois le tour du cadran et il sera temps d'aller à l'église pour l'office ; on chantera, on priera, on admirera la Crèche, on sortira, on se saluera en riant, et chacun rentrera chez soi. Moi, je reviendrai ici et je monterai dans ma chambre, seul. Noël : qu'est-ce que ça signifie pour moi... ! »

Seul, il ne l'avait pas toujours été. Aloÿs revoyait sa vie passée, son enfance d'abord ; son père, menuisier dont il avait pris la suite dans l'atelier familial ; sa mère qui savait embaumer la petite cuisine aux murs de faïence de si bonnes odeurs ! Ses trois frères, sa sœur et lui, le petit dernier. En ce temps-là, on ne s'ennuyait pas à la maison ! Aux nuits de Noël, le père et la mère réveillaient les enfants à l'heure de l'office. On s'y rendait les paupières encore lourdes. Mais les yeux s'emplissaient très vite de toutes les lumières de l'église. Ensuite, toute la famille rentrait à la maison et l'on mangeait la bûche. Le père racontait une histoire, toujours la même, celle de trois grands rois venus de très loin pour honorer l'enfant né à minuit. Le lendemain matin, on se retrouvait autour de la table en chêne sur laquelle était posé le « cramique » que la mère savait si bien faire !

Plus tard, les frères et sœurs d'Aloÿs avaient quitté le village pour les bourgs environnants où ils avaient trouvé du travail ; lui, il était resté dans la maison familiale. Les parents étaient morts. Puis ils avaient eu trois enfants, deux garçons, une fille.

Louis, le premier, n'avait pas survécu à cette saignée qu'avait été la Grande Guerre ; Michel, le deuxième, avait « si bien appris » à l'école qu'il s'en était allé vers la grande ville toute proche, une demi-journée de marche sans plus, pour y être employé comme technicien d'entretien en

machines textiles. Beaucoup de paysans de Flandre, avant et
après la Grande Guerre, s'étaient ainsi dirigés vers Lille,
Tourcoing ou Roubaix, dans le but d'y trouver le gagne-pain
que leur pays ne pouvait plus leur offrir. Tout avait changé si
vite ! Naguère, on faisait moudre le blé dans des moulins qui
tournaient si joliment sur les monts ; mais les minoteries
étaient arrivées. Naguère aussi, les paysans traitaient le houblon, fabriquaient la bière, puis les villes avaient inventé les
brasseries.

Yolande, la fille d'Aloÿs, avait encore mieux « réussi », suivant certains. Au pensionnat de la ville, elle avait appris les
bonnes manières. En fin de compte, elle avait épousé un
monsieur de Paris, et depuis lors, vivait dans la capitale.
Yolande avait quelquefois invité son père. Aloÿs avait toujours refusé. Il préférait sa campagne.

Un moment, il avait pourtant failli rejoindre son deuxième
fils à la ville. Les yeux d'Aloÿs se mouillèrent au souvenir...
Il n'oublierait jamais ce soir de février où un voisin avait
frappé, très fort, à la porte de chez lui. Aloÿs avait ouvert,
l'autre n'avait rien su dire mais Aloÿs avait compris aussitôt
et avait suivi le voisin vers la rivière. Sur la berge gisait le
corps froid de Catherine que l'on venait de repêcher. De ce
jour, Aloÿs était devenu plus renfermé, plus sombre. Il s'était
abruti dans son travail d'artisan, qui lui rapportait d'ailleurs
de moins en moins, n'ayant pas donné suite finalement à
l'idée de rejoindre son fils à la ville.

Dans sa campagne, il connaissait chaque champ, chaque
sentier, chaque arbre, vous comprenez ! Quand il sortait, les
gens le reconnaissaient, et même les enfants qui, parfois, se
moquaient un peu de lui. Il semblait à Aloÿs que les oiseaux
et les petits animaux des champs, eux aussi, s'étaient habitués à ses promenades solitaires, à travers les champs entre-
coupés de becques. Le pays de Flandre n'était jamais si beau

que lorsque le vent courbait le blé, faisait tourner les moulins et frissonner les houblonnières, fouettait le visage d'Aloÿs...

Tout de même, il aurait aimé voir plus souvent les siens. Surtout depuis que son fils lui avait envoyé « une photographie » (comme il disait) des enfants que sa femme lui avait donnés et qui devaient bien avoir cinq et six ans maintenant ! Aloÿs se leva, alla droit au buffet massif, contre le mur. Du tiroir du dessus, il sortit avec précaution la photographie : deux tout petits enfants, dont l'un très bouclé, comme l'avait été Michel autrefois. Comme Aloÿs aurait aimé les voir grandir auprès de lui ! Allons, il ne fallait pas trop rêver, même en cette nuit de Noël. Surtout cette nuit de Noël ! Il devait être raisonnable. Il resterait seul dans son village qu'il n'avait pas voulu quitter : question de choix, voilà tout ! Tout à l'heure, il irait s'agenouiller sur la chaise qu'il avait dans l'église depuis des années. Il assisterait les yeux mi-clos à la cérémonie, puis s'en reviendrait chez lui, sans histoire. Pour l'instant cependant, il ne pouvait empêcher son esprit de filer par-delà les monts de ce pays, vers la ville, vers ses enfants, ses petits-enfants. Il se sentait las, sans espoir, oublié. Rien plus que la ville ne déracinait les êtres...

Un bruit de grosse machine lui parvint. Décidément, la ville le poursuivait jusque dans ses songes ! Non, il ne rêvait plus ; la machine eut un dernier hoquet et le silence d'un instant fut disloqué par des rires d'enfants. Allons bon, on avait frappé à sa porte ! Aloÿs se leva brusquement et... Ils étaient là. Il les avait reconnus aussitôt... (la photo bien sûr !). Ses deux petits-enfants, et derrière, son fils, l'épouse de celui-ci, tous quatre engoncés dans les gros manteaux que portaient alors ceux qui voyageaient en automobile. Il y eut un peu de silence, des yeux mouillés, puis tout le monde se mit à babiller en même temps. Noël se prolongea bien tard dans la nuit. Aloÿs vécut, rouge de joie, d'émotion et de fierté, l'une de ses plus belles messes de minuit. Il n'eut de cesse d'avoir présenté à toutes ses connaissances sa famille venue de la ville. Mais le plus agréable fut, bien sûr, le repas pris dans la petite maison.

La belle-fille d'Aloÿs avait pensé à tout, et la soirée fut parfaite en tout point. Aloÿs revit les Noël de son passé et tout naturellement lui, le grand-père, se mit à raconter la merveilleuse histoire, toujours la même, celle des trois rois venus de fort loin... Pendant qu'il racontait, Aloÿs, son visage rayonnait, ses yeux brillaient, et son esprit lui soufflait que cette nuit-là les voyageurs n'étaient pas seulement allés voir le nouveau-né dans la crèche. Ils ne s'étaient pas déplacés à dos de chameau, ils n'avaient pas apporté d'or, d'encens ou de myrrhe : non, ils étaient venus à quatre, sur un coursier bruyant et fumant ; ils avaient voulu aussi saluer l'ancêtre en même temps que l'enfant...

Au petit matin, Aloÿs fut le premier levé. Sans bruit, il descendit l'escalier, secoua les cendres dans l'âtre, et bientôt courut à nouveau sur les murs de la pièce la chaude lueur du feu ranimé. Puis Aloÿs entrouvrit la porte de la rue, et se glissa au-dehors ; la neige reposait en couche épaisse. Le vieil homme ne put s'empêcher de sourire en voyant le capot de la voiture entièrement recouvert. Aloÿs prit le chemin du cimetière ; il poussa la porte de bois qui eut un léger crissement, prit la première allée sur sa droite et s'arrêta devant une tombe. Aloÿs réveilla Catherine pour lui raconter tout...

Éric VANNEUFVILLE

La Picardie

Textes rassemblés par Marguerite Lecat

LA LÉGENDE D'ADÈLE DE PONTHIEU

Un écrivain picard, à la fin du règne de Philippe Auguste, choisit pour héroïne de son récit en prose *La fille du comte de Ponthieu* et c'est le titre qu'il donne à son œuvre. Cette nouvelle renferme déjà les principaux éléments de l'histoire légendaire de la famille de Ponthieu.

Un comte de Ponthieu avait une fille. Lorsqu'elle eut seize ans, son père songea à la marier, or il avait dans son entourage un jeune homme auquel il était fort attaché : il avait nom Thibaud, était fils de la dame de Domart-en-Ponthieu et neveu du comte de Saint-Pol.

Les deux jeunes gens intéressés furent favorables à ce projet d'union. Le mariage fut donc célébré à Saint-Riquier avec un grand concours de nobles. Cinq années passèrent sans qu'ils eussent de postérité, ce qui leur causait à tous deux un profond chagrin. Mais une nuit que Thibaud de Domart se lamentait, il songea tout à coup à monseigneur saint Jacques toujours miséricordieux envers ceux qui l'invoquent, sa décision fut prise : il se rendrait en pèlerinage à Compostelle. A quelque temps de là Thibaud se mit donc en route avec sa femme. Le début du voyage se déroula sans incident ; les pèlerins n'étaient qu'à deux journées de Saint-Jacques, lors-

qu'un matin le sire de Domart se trouvant fatigué retarda son
départ et envoya en avant ses serviteurs leur promettant de
les rejoindre sous peu. Resté seul avec sa femme et son chambellan, il quitta l'hôtellerie après avoir pris un peu de repos.
La route qu'ils suivaient ce jour-là passait par une sombre
forêt, et Thibaud jugea plus prudent de demander à son
chambellan d'aller rejoindre ses serviteurs et de leur ordon-
ner d'attendre leur seigneur. Il était plus sûr de voyager en
compagnie dans cette contrée inconnue. Le chambellan prit
les devants afin de remplir sa mission. Voilà donc Thibaud et
la dame de Ponthieu seuls dans la forêt. Ils poursuivirent lentement leur route et atteignirent un carrefour : deux chemins
s'offraient à eux, l'un était étroit et l'autre large, ils s'engagè-
rent sur le sentier qui leur parut le plus fréquenté. En réalité
des brigands utilisaient ce stratagème pour induire en erreur
les pèlerins, ils élargissaient la sente sans issue qui semblait
alors meilleure que la vraie route et se postaient pour
détrousser les voyageurs sur la voie qui ne menait nulle part.
Ce procédé réussit une fois de plus aux brigands. Thibaud et
sa femme n'avaient pas fait un quart de lieue qu'ils se trouvaient soudain face à face avec quatre hommes armés, quatre
autres voleurs surgissant au même instant derrière eux leur
interdirent toute fuite. Le sire de Domart tenta de se
défendre, mais la lutte était inégale, les brigands eurent tôt
fait de le ligoter, se saisirent de la fille du comte de Ponthieu
et abusèrent d'elle. Puis ils lui rendirent sa liberté et s'éloignèrent. Thibaud, témoin impuissant du forfait, pria sa
femme de dénouer ses liens. La fille du comte de Ponthieu
eut alors un comportement étrange, elle se saisit d'une épée
abandonnée par un des voleurs et voulut en frapper son
époux. Thibaud n'eut que le temps de se retourner pour prévenir le coup ; l'épée retombant trancha les liens. Surpris du
geste de sa femme, le sire de Domart, sa liberté retrouvée,
s'écria : « Madame, s'il plaît à Dieu, vous ne me tuerez pas

aujourd'hui », et elle lui répondit : « Eh non, sire, c'est bien ce qui me fâche. »

Sans avoir compris les motifs qui avaient pu pousser sa femme à tenter de le tuer, Thibaud de Domart gagna Compostelle où il demanda à saint Jacques de lui accorder une descendance, puis rentra en Ponthieu avec son épouse.

Le jour même de leur retour, une grande fête fut donnée en leur honneur. Au cours du repas qui suivit, le comte de Ponthieu demanda à son gendre de lui narrer ce qu'il avait vu ou entendu dire sur le chemin de Saint-Jacques. Thibaud raconta alors l'attaque des brigands et ses conséquences sans pourtant dévoiler à son auditoire l'identité des deux pèlerins. Mais le comte, indigné par le geste de cette femme assez perfide pour avoir désiré tuer son mari, insista auprès de Thibaud pour qu'il lui révélât les noms de ce chevalier et de sa dame. Le sire de Domart finit par avouer que cette histoire était la sienne. Le châtiment que réserva le comte à sa fille fut terrible. Sans faire connaître ses intentions, le comte de Ponthieu convia sa fille, son fils et Thibaud à l'accompagner à Rue. Là ils s'embarquent tous quatre, et malgré les supplications de son gendre et de son fils, il fait enfermer la coupable dans un tonneau et jette le baril à la mer.

Le comte n'était pas encore rentré à Rue que des marchands flamands, qui se rendaient en Orient, passant au large des côtes du Ponthieu, aperçurent le tonneau et le recueillirent. Quelle ne fut pas leur surprise quand ils découvrirent la jeune femme. Au terme de leur navigation, ils débarquèrent en terre sarrasine, et décidèrent de faire présent de la fille du comte de Ponthieu au sultan d'Aumarie afin de s'en concilier les bonnes grâces. Le sultan devint très vite amoureux de la jeune femme qui se refusa à lui révéler son lignage mais accepta par contre de renier sa religion pour l'épouser. La fille du comte de Ponthieu, devenue sultane, mit au monde un fils et une fille, et apprit à parler la langue des Sarrasins.

Or, durant ce temps, le chagrin et le remords avaient envahi le cœur du comte de Ponthieu. Convaincu maintenant d'avoir gravement péché, le comte alla se confesser à l'archevêque de Rouen, puis décida de se croiser. Son fils et son gendre Thibaud l'accompagnèrent en Orient. Le pèlerinage aux Lieux Saints pieusement accompli, nos croisés s'embarquèrent à Acre pour regagner la France. Mais ils ne devaient pas revoir si vite le Ponthieu ; une tempête s'éleva, les marins perdirent le contrôle de la nef qui finit par s'échouer sur les côtes d'Aumarie et là le sultan ordonna de conduire les chevaliers en prison.

Nul ne songeait plus aux malheureux pèlerins, qui avaient perdu presque tout espoir de recouvrer un jour la liberté, quand le sultan décida de célébrer l'anniversaire de sa naissance par de grandes réjouissances : à cette occasion, les archers du sultan vinrent demander à leur maître de leur livrer un prisonnier qui puisse servir de cible, cette requête fut acceptée, et le sort tomba sur le comte de Ponthieu. A la vue de ce vieillard, la sultane qui assistait à la fête fut apitoyée et interrogea le captif pour savoir de quel pays il venait : « Madame, répondit-il, je suis d'une région de France que l'on nomme Ponthieu, et j'étais comte de cette terre lorsque je la quittai.» Sans laisser deviner son émoi, la fille du comte de Ponthieu demanda au sultan, son époux, de lui abandonner ce chrétien qui la distrairait. Thibaud et le fils du comte de Ponthieu choisis tour à tour furent sauvés aussi par la sultane qui ne se fit pas reconnaître d'eux.

A partir de ce moment-là, le comte, son gendre et son fils eurent droit à un régime de faveur ; s'ils avaient été laissés en prison, ils étaient maintenant bien nourris et traités avec égard, la sultane venait souvent les visiter.

Un jour, la fille du comte de Ponthieu put voir plus longuement les prisonniers, car son mari s'était absenté pour aller défendre les frontières de son empire. Elle demanda alors au comte où se trouvait sa fille, la femme de Thibaud. Le comte répondit qu'il la croyait morte et, pressé par les questions de la sultane, raconta le pèlerinage des deux époux à Compostelle. Quand il fut arrivé au passage où la femme de Thibaud cherche à tuer son mari, la dame l'interrompit : « Je vois bien quelle est la raison de ce geste», s'écria-t-elle. Le comte étonné l'interrogea et elle reprit : « Cette femme avait été déshonorée sous les yeux de son époux. » Quand Thibaud, resté silencieux jusqu'à ce moment, entendit ces mots, il répliqua en pleurant : « Mais, madame, elle n'était pas responsable, et jamais je ne l'aurais traitée avec moins de respect. » « Sire, répondit-elle, ce n'est pas ce qu'elle croyait alors. »

Touchée à la vue du profond chagrin de Thibaud, la sultane ne parvint pas à tenir davantage son secret ; elle apprit aux prisonniers qu'ils étaient l'un son père, l'autre son mari et le troisième son frère, mais elle leur recommanda d'être prudents et de rien tenter seuls.

La fille du comte de Ponthieu ne tarda pas à découvrir un stratagème qui devait lui permettre d'abandonner la terre sarrasine. Elle arriva à persuader le sultan que, pour sa santé, elle était obligée de quitter provisoirement Aumarie. Le sultant acquiesça à ses désirs, et lui fit préparer un bateau sur lequel elle s'embarqua avec son fils et les trois chevaliers chargés de la protéger durant le voyage. Une fois en haute mer, le vent poussa l'embarcation jusqu'à Brindisi. De là, le comte de Ponthieu, sa fille, son fils, son gendre et le fils du sultan gagnèrent Rome où chacun put se confesser au pape. Le pontife baptisa le petit Sarrasin auquel il donna le nom de Guillaume, accorda l'absolution à la fille du comte de Ponthieu, confirma son mariage avec Thibaud de Domart et donna à chacun une pénitence pour ses péchés. La conscience en repos, nos cinq voyageurs reprirent leur chemin en direction du Ponthieu.

Grande fut la joie lorsque le retour du comte et de sa famille fut annoncé dans la région.

La nouvelle aurait pu se terminer là, mais l'auteur a voulu nous révéler le sort de chacun de ses personnages avant de mettre le point final à son œuvre.

Le fils du comte de Ponthieu mourut peu de temps après, sa sœur mena durant le reste de ses jours une vie de pénitence et de prière, elle donna à Thibaud de Domart deux fils, l'un hérita du comté de Ponthieu et l'autre du comté de Saint-Pol. Le fils du sultan et de la dame de Ponthieu, Guillaume, devint par son mariage seigneur des Préaux, quant à sa sœur restée en Aumarie, que l'on surnommait « la belle captive », elle épousa un Turc : Malaquin de Bagdad. De cette union naquit la mère du grand Saladin.

Chantal DE TOURTIER-BONAZZI

LA DAME EN LA MER

A l'époque où les peuples traversaient les plaines et les fleuves pour incendier le vieux monde, les habitants de Boulogne remplacèrent la palissade du camp romain par un puissant rempart. Ils s'y enfermèrent et, du haut de l'enceinte, ils contemplèrent ces troupes qui chevauchaient trop vite pour voir s'éteindre les feux qu'elles allumaient. La terre entière parut défiler au pied des murs ; les petits cavaliers aux yeux fendus, les géants aux armes d'acier qui ressemblaient aux assiégés, firent résonner leurs cris et leurs arcs ; ils campèrent même, et admirèrent la constance des Boulonnais en un temps où les descendants de Brennus semblaient avoir perdu toute vertu ; tous repartirent, vaincus par quelques grosses pierres cimentées de courage.

L'Histoire, qui n'avait pas pu entrer dans la ville les armes à la main, y pénétra par la Croix. Les Morins taciturnes reçurent les prêches avec méfiance ; mais quand la voix immense de saint Victrice fit résonner leurs murs, ils délaissèrent les dieux marins pour s'incliner dans les eaux claires du baptistère. Pour se protéger des démons, ils élevèrent une cathédrale sur l'emplacement de leur vieux temple tourné vers les flots ; et dans l'ombre de la crypte, demeurèrent des masques

ornés d'entrelacs que les évêques se gardèrent de toucher.
Ainsi palpitait la dernière lueur d'un culte venu des cavernes,
et dont le Christ acceptait quelques éclats au pied de sa croix.

Beffroi
de Boulogne s/mer
(Haute ville)   S.R

Préservée des tempêtes par ses nouveaux murs et son jeune
dieu, Boulogne abrita la vie et la lumière en ces siècles de
mort et d'ombre. Les maisons étaient en bois et les gens bien
pauvres ; mais certaines rues étaient pavées et le port voyait
arriver de gros navires marchands et des barques emplies de
poissons. Les saints s'y embarquaient ; ils partaient sur des
nacelles, regardant fixement le couchant, vers les îles de
l'ouest ; quand tous les croyaient morts, ils revenaient un
matin, dans les lumières de l'aube, tout brûlés par les pay-

sages étranges où ils étaient allés chanter les premiers cantiques du Christ, convertir des rois sauvages, et planter des
croix. Sans prendre le temps de raconter, ils repartaient,
sachant qu'à chaque pas leurs semelles dessinaient la face du
Christ sur le monde.

Ainsi croissait la force de Boulogne au milieu des périls.
De grands guerriers montaient sur les murs pour les garder ;
les prêtres leur enseignaient l'Evangile, et les pêcheurs nour-
rissaient tout le monde. Cependant personne n'était bien
riche ; tout ce courage amassait l'honneur et la paix, mais pas
l'or. « Si nous sommes pauvres, Dieu a assez », disait le
Boulonnais austère, qu'il maniât le glaive, le calice ou la
rame ; mais Dieu lui-même vint à manquer et les habitants
désolés virent les poutres de leur cathédrale rongées peu à
peu par les vents marins. Les soldats, aux longues mous-
taches blondes héritées de leurs ancêtres gaulois, serraient
leurs épées en sachant qu'on ne maçonne pas à coups de
lame ; les prêtres avaient déjà vendu leurs vases sacrés, et les
pêcheurs ne pouvaient abriter Dieu sous leurs filets. Le
Christ du maître-autel pouvait désormais, comme au
Calvaire, recevoir le soleil et le vent ; et un jour, la pluie
tomba dans le calice et mouilla le pain. Les Boulonnais perdirent leur foi en leurs murs, que les souffles salés survolaient
pour outrager le Christ.

*
* *

Le printemps de l'an 636 parut marqué par la Grâce ; une
force divine était descendue sur terre ; la nature frémit. L'air
était tiède, le soleil brillait à travers les fleurs des arbres ; les
oiseaux chantaient toute la nuit et l'éclat des astres sur la
voûte promettait des temps heureux. La cathédrale ruinée,
réduite à une pauvre chapelle, se trouva parée de genêts d'or
qui cachèrent sa misère.

Un matin, à l'heure où la mer brille immobile comme une nappe de cristal, les pêcheurs préparèrent leurs barques pour une grande pêche lointaine. Comme ils devaient partir long-temps, le clergé de la ville s'en était allé chanter au bord des flots pour leur salut. On était en effet à l'aube du monde et la foi des hommes commandait la nature comme aux jours de l'Eden.

Tandis que les rudes Boulonnais étreignaient leur femme, en camouflant leurs larmes, les oiseaux de mer s'abattirent sur le port et se mirent à survoler les flots en émettant des cris étranges. Ils circulèrent parmi les filets étendus, se posè-rent sur les poutres où ils séchaient ; ils se turent enfin, immobiles comme des milliers de cierges blancs sur des chandeliers. Une nef, que les éclats du levant rendaient éblouissante, traversa la rade, passa devant toutes les barques et s'échoua doucement sur la grève, fendant le sable humide d'une proue d'or. Une femme y était assise ; elle avait le visage qu'ont nos mères en leur jeunesse, et portait une robe blanche et bleue.

Elle demeura un instant ; puis elle se leva et, lorsqu'elle posa son pied sur le sol, le sable sécha et devint blanc comme du lait. Les rayons du matin s'accrochaient à elle et sem-blaient la vêtir.

Quand la première surprise que sa personne avait causée fut passée, on s'avisa que la nef n'avait ni mât, ni voile, ni aviron ; le peuple l'entoura ; et un grand marin, respectueux comme un enfant, osa lui parler.

— Qui êtes-vous, noble dame, tant aimée de Dieu qu'il vous a défendue et gardée sans avoir mal en la mer périlleuse ?

La dame ne lui répondit pas ; elle sourit doucement ; et tout à coup, dans la lumière de ce matin du Nord, des anges diaphanes la survolèrent. On la reconnut ; tous tombèrent à genoux.

— Je suis la défense des pêcheurs et le salut des égarés.

La foule était en larmes ; nul ne savait que dire ; et dans le grand silence, les cœurs s'offraient et attendaient.

— Je veux que la lumière descende sur vous.

Elle désigna de la main un coffre dans la nef ; sans qu'elle ait eu à parler, on s'en saisit ; et suivie de toute la ville la dame monta sur le quai et se dirigea vers la chapelle fleurie. Elle en fit le tour, et l'azur de son manteau touchait les genêts comme le ciel caresse les moissons. Sa marche avait décrit une grande croix, traçant le plan d'une immense cathédrale sur ce parchemin fleuri.

— Faites-moi une maison pour que j'habite parmi vous.

Les Boulonnais frémirent de désespoir ; mais, préférant mourir que de la décevoir, ils s'efforcèrent de camoufler les trous de leurs hardes, et, résolus à abattre leurs propres maisons pour lui faire un temple, ils lui dirent :

— Dame, nous sommes bien riches ; nous vous ferons une maison de joyaux et d'argent.

Elle leur sourit encore, son manteau s'agita doucement et ils eurent peur qu'elle ne s'envole. Mais elle s'éloigna parmi les genêts. Elle les mena dans un petit bois, hors des remparts, et montra une pierre moussue au pied d'un chêne. On l'ôta ; un coffre terreux fut libéré ; il en sortit un flot de monnaies étranges, que les anciens ne purent jamais reconnaître, mêlées à des diamants et des émeraudes, et qui auraient suffi pour bâtir dix cathédrales. Quand on le referma, la dame s'en était allée ; on la vit traverser la ville par une rue qui menait à la mer. Elle monta dans sa nef et demeura debout, immobile et silencieuse, et ses yeux insensibles au soleil fixaient la foule. Et tandis qu'un ange grand comme un nuage poussait la nacelle vers l'horizon brillant où elle disparut, Notre-Dame devint immense ; son manteau se confondit avec le ciel du matin, ses mains devinrent les voiles de la brume marine et son sourire s'évanouit dans les feux du levant.

*
★ ★

Le jour où la mère de Dieu faisait sa visite à Boulogne, un orfèvre du roi contemplait son atelier à la lueur des braises mourantes et se disposait à aller dormir en paix, du sommeil serein des travailleurs, entre son crucifix et son marteau. Il avait été de ces enfants devant qui les maîtres s'inclinent, et que les rois recherchent. Quand on avait vu, dans son Limousin natal, les merveilles qui naissaient sous son burin, on l'avait envoyé à Clotaire ; et le jour où le jeune artiste lui présenta le trône d'or où les rois allaient désormais asseoir la monarchie franque, les yeux du prince avaient brillé.

Il forgea le jour et la nuit ; il travailla toute sa vie, et para les rois et les saints d'une mer d'or et de gemmes. Dagobert, ce titan devant qui tout tremblait, ne put jamais se passer de lui, et attendait avec fièvre les couronnes et les sceptres que l'orfèvre sortait des flammes, et où il puisait sa majesté.

Le vieil ouvrier alla étendre son corps, que le marteau avait rendu colossal, sur une couche près du foyer. Le feu s'éteignait ; non loin de là, une énorme souche de chêne, large comme une table, sortait de terre et portait une enclume ; et un grand baquet d'eau froide, où l'on plongeait les métaux brûlants, reflétait la voûte. Les châsses et les calices brillaient dans l'ombre, et sur les parois des reliquaires, à la lueur des flammes vacillantes, les serpents et les saints se mettaient à trembler.

Il lui sembla qu'il n'était plus seul ; il était bien fatigué cependant, et ferma les yeux en serrant son outil. Mais quelque chose avait bougé ; il avait fait reculer, une fois, des voleurs qui venaient dépouiller un ciboire de ses pierres. Il s'assit et fixa l'ange Gabriel qu'il avait ciselé ce soir au creux d'une patène. L'ange avait quitté son support et ses contours s'élevaient dans les airs, se détachant en fils d'or sur le mur sombre ; et l'orfèvre émerveillé put l'entendre dire avant de plonger dans un sommeil peuplé de calices et de pierres, ces quelques mots :

« Quelqu'un a visité Boulogne. »

Ainsi s'endormit saint Eloi, en sachant qu'il lui faudrait aller au Nord.

*
* *

Quand Eloi fut à Boulogne, il se fit conter le miracle par l'évêque mais ne demeura pas longtemps chez lui. Il chercha la forge et apporta les ors et les joyaux dans ce pauvre atelier d'où ne sortaient que les harpons et les socs. Avec la sympathie naturelle qui unit les hommes qui font, il se lia d'amitié avec l'artisan ; on leur présenta le coffre sorti de la nef, auquel on n'avait osé toucher. Quand Eloi eut ouvert sa délicate serrure, on y trouva une statue de Marie avec l'Enfant, faite d'une pierre inconnue ; une petite ampoule de cristal, emplie du lait qui avait nourri Jésus ; et une Bible, écrite avec un art merveilleux, sans doute par les anges ; les enroulements de feuillages et de gracieux paysages se mêlaient à la parole de Dieu. Eloi travailla dans la forge ; il y resta deux mois, et partit un matin, seul, avant le chant du coq.

Quand on osa pénétrer dans l'atelier, on trouva sur l'établi, parmi les poussières et les cendres, le reliquaire de la statue. C'était une reproduction de la nef ; elle pesait vingt kilos ; le seul métal employé était l'or. Un lit de saphir représentait la mer et quelques opales, çà et là, figuraient l'écume. Des dragons marins sortaient leur mufle de l'onde et regardaient la nef avec des yeux de rubis. L'embarcation était faite de feuilles d'or montées sur âme de chêne, et la statue reposait sur trois diamants énormes, en pyramide, et sous lesquels se trouvait l'ampoule. Pour la Bible, Eloi avait fait une reliure d'or où l'on voyait la Genèse : les astres, les eaux, les bêtes et les sentiers de l'Eden, nos premiers parents et la face du Père s'y trouvaient reproduites par tout un univers d'émeraudes, de cristaux, de nacres et d'émaux.

Ignorant les vulgarités de l'adoration passive, les Boulonnais se résolurent à bâtir un temple, qui serait leur maison et celle de Notre-Dame, dont les vitraux feraient briller les visages des affligés et dont la flèche désignerait le ciel aux pécheurs. Le trésor permit d'ouvrir la terre, d'abattre les arbres et de sculpter la pierre. Des troncs immenses, qui avaient vu, dans l'ombre des forêts, les cultes sauvages des païens, furent apportés ; on y peignit la mer, Notre-Dame toute bleue dans sa petite barque d'or, et même saint Eloi entouré de joyaux. Un jour, peu avant Noël, un pauvre imagier, très dévot à la douce Vierge, négligea le repos pour continuer son œuvre. Sa Marie était si belle qu'il voulut l'honorer de quelques traits supplémentaires. Alors qu'approchait l'heure des démons, il se mit à peindre l'antique serpent, dont la dame écrasait le masque hideux. Le vieil ennemi, fort vexé d'être si mal traité, ébranla son échafaud et le fit écrouler ; les poutres, en tombant sur des dalles, causèrent un horrible fracas, présage de tragédie. On accourut ; au-dessus d'un nuage de poussière, à trente pieds du sol, l'imagier était suspendu à son œuvre, retenu par un bras que la Vierge avait passé autour de sa taille, et qu'elle ne retira que lorsqu'on put secourir l'artiste.

Boulogne eut son temple ; la ville devint riche sans perdre sa vertu ; les pèlerins y vinrent. Cependant, pour éprouver la foi des hommes qui faiblissait, Dieu suscita les Vikings et la tempête battit à nouveau les murs de la ville. Les guetteurs qui parcouraient les remparts n'avaient plus loisir d'admirer les toits peints des maisons et les tours de l'église ; la mer portait les terribles navires à têtes de dragons là où jadis Marie avait vogué, et de la forêt profonde qui touchait presque l'enceinte sortaient des pillards à casques de cornes. Aucun d'eux ne pénétra ; mais le monde extérieur fut détruit

et les remparts s'élevèrent au centre d'un désert. La chrétienté afflua vers Boulogne ; on referma les portes sur les
abbés et les prêtres, et l'on attendit entouré d'une montagne
de reliques venues de toutes les paroisses du comté. Les
échos assourdis du chaos parvenaient aux assiégés, mais le
petit royaume de Marie demeura inviolé dans cette arche de
pierre.

★
★ ★

Loin des pirates, aux confins de l'Europe, dans un château
qui dominait une vallée paisible, un roi et sa reine eurent un
fils. Il devint fort et parcourut la forêt pour chasser le cerf et
le loup. Un soir, près d'une source, il rencontra une jeune
fille au visage doux et grave ; et quoiqu'elle fût fée, il l'aima
et l'épousa avant de partir à la guerre. Elle mit au monde six
garçons et une fille ; et comme elle était fée, on la laissa poser
un collier d'argent à chaque enfant, bien que l'on ne sache
pas pourquoi. La belle-mère, prévenue contre une si étrange
descendance, voulut les tuer ; il fallut les confier à une
humble famille de forestiers qui, n'ayant pas d'enfant, les
accueillit avec amour. La forêt fleurissait, puis devenait
rousse ; les années passaient, et les enfants apprenaient les
arbres et les bêtes. Un jour la reine envoya un de ses gardes,
qui devait rapporter leurs têtes ; mais quand il les trouva,
jouant au bord d'un étang, ils lui rappelèrent ses enfants et il
se contenta d'ôter leurs colliers de ses grosses mains pour les
présenter à la reine. Aussitôt il leur poussa des ailes, ils se
changèrent en cygnes magnifiques et disparurent au-dessus
des frondaisons. Le septième, cependant, était absent ; il eut
tout juste le temps de voir le dernier de ses frères qui s'envo-
lait. Il partit pour le vaste monde avec les colliers ; il parcourut
les bords de mer, les lacs et les rivières ; il eut bien des aventures, et toujours cherchait les lieux où sont les cygnes. Un

matin, dans les lueurs et les brumes, il vit les grands oiseaux dont les plumes brillaient venir rejoindre leur reflet et se poser sur l'eau pour aller jusqu'à lui. Il leur remit les colliers et retrouva sa sœur et ses frères ; mais il en avait perdu un, et le dernier des cygnes continuait à nager autour de lui en pleurant. Il ne retrouva pas l'objet ; et désormais on le vit, par les fleuves et les rivières, voyageant dans une nacelle tirée par l'oiseau ; on l'appela le Chevalier au Cygne, il devint fameux et épousa une duchesse. Leur fille épousa le comte de Boulogne ; c'était sainte Yde, et leur fils fut roi. Il s'appela Godefroy de Bouillon.

Quand sainte Yde vint à Boulogne, les Normands en avaient quitté les murs et, tout autour, le monde avait repoussé. Son fils, comme on le sait, était parti à la tête d'une armée de fer ornée de croix pour restaurer la paix à Jérusalem outragée par l'islam. Un flot de courage le suivit ; dans cette armée où les anges, parfois, ne dédaignaient pas de combattre, on vit un miracle un jour ; enfin Godefroy entra dans la légende, en ouvrant le premier dans les murs de la ville une brèche où passèrent les épées et les croix. Beaucoup de Normands le suivaient, et ils terrifièrent les infidèles d'une férocité qui militait à présent à l'ombre du Christ. Godefroy devint roi ; le royaume de Marie était aux mains d'un colosse pieux qui, un jour, trancha paisiblement la tête d'un chameau d'un seul coup de glaive devant un émir venu éprouver sa force, et qui rentra chez lui en chantant ses louanges.

Les Boulonnais surent tout cela avant quiconque, car lorsque leur prince était entré dans la Ville sainte, sa mère en extase en avait eu la vision. Ils reçurent peu après quelques gouttes du saint Sang et la couronne dont l'humble roi n'avait pas voulu ; et quand ils allèrent la porter à la cathédrale, ils eurent bien honte du temple usé, plusieurs fois incendié, que leurs pères avaient bâti à force de foi, mais qui n'était plus digne de la chrétienté de fer et de pierre qui partout triomphait.

On se décida donc à édifier un troisième temple. On fit une nouvelle crypte, aux gros piliers ornés d'entrelacs, où l'on s'arrangea pour que les masques mystérieux des premiers pères, dont la foi étrange était comme une intuition grossière de la vraie, trouvassent une place discrète ; et au-dessus s'éleva désormais une nef blanche et haute, traversée par les rayons des vitraux, les nuages d'encens, et les oraisons des chanoines. On y mit les œuvres de saint Eloi, et quelques restes des peintures de la Vierge ; et ainsi la lumière des origines continua à palpiter dans la grande aube gothique. Les Boulonnais avaient fondé l'avenir sur mille ans de souvenirs.

*
* *

La révolution survint ; les Boulonnais l'acceptèrent. Mais quand on exigea d'eux qu'ils renient leur vieille foi, ils s'y refusèrent, et le clergé, à l'unanimité, décida de ne pas faire serment d'allégeance aux nouveaux maîtres. Quand quelques brutes avinées vinrent entourées de soldats étrangers pour briser les frêles statues du Moyen Age en éructant les mots de liberté et de raison, personne ne put les retenir. Un soir, devant la mairie, Notre-Dame, la douce mère de Dieu qui était parvenue au port par un matin de mai, au temps du roi Dagobert, fut livrée aux flammes ; et la crapule dansa autour du feu. La cathédrale mutilée fut fermée ; et la civilisation naissante, dont la fureur ne cachait pas les germes de noblesse qui avaient fait des barbares normands de pieux guerriers, manifesta sa grandeur en l'utilisant comme prison. Ainsi se formait l'affreuse et naturelle union de la bêtise et de la tyrannie.

Un troisième démon vint apporter son aide à cette alliance : le profit. On mit le temple aux enchères ; un homme l'acquit, dont les yeux bovins ne virent que matière là où régnait l'Esprit. L'imbécile en tira des pierres pour le port et fit prospérer sa famille ; il fut heureusement frappé d'une mort prématurée. En 1820, un homme racheta les ruines ; c'était un juste ; il s'appelait l'abbé Haffreingue.

Ses parents labouraient la terre des autres, et à vingt ans il ne savait pas lire. Sa vocation fut fulgurante, ses études aussi ; il progressa comme ces hommes en qui Dieu, un jour, décide d'habiter. Devenu enseignant dans une institution pieuse, il se mit à faire quelques travaux pour agrandir son collège. Il mentit à tous, car il n'avait qu'un but : bâtir une cathédrale et rétablir l'évêché. Il s'intitula lui-même architecte de Notre-Dame ; il ne savait pas dessiner et ignorait l'art de construire un mur.

Il fit d'abord une chapelle pour son école ; puis une autre, pour les Ursulines, avec un dôme ; enfin une église. On se moquait de lui ; c'étaient d'incessantes plaisanteries sur la date où tout s'effondrerait et sur la témérité des audacieux qui fréquentaient ces temples. Ils tenaient, pourtant ; et désormais, ceux qui le voyaient avec sa soutane blanchie à la tête de ses maçons riaient moins fort. Pour rassurer les gens, il gribouillait quelques croquis maladroits, tout encombrés de chiffres fantaisistes ; il continuait à ne rien savoir des poussées et des pesées et méprisait la pesanteur, qu'il considérait comme un détail dans l'œuvre immense qu'il s'était fixée. Il envoya ici et là quelques vues optiques irréalistes pour récolter des fonds ; mais toujours, dans ses longues nuits de veille, il décrivait avec de simples mots, sur des piles entières de feuilles, la grande cathédrale où habiterait la dame navigatrice des temps anciens qui obsédait son âme.

Enfin il révéla son projet ; son enthousiasme avait collecté assez d'argent pour commencer l'œuvre. On déterra la crypte de sainte Yde ; elle était restée intacte après sept siècles, et les vieilles sculptures venues de la nuit des temps regardaient les arrivants de leurs yeux étranges. Il y eut des dons ; les murs

montèrent vers le ciel ; le temple de papier s'incarna dans la
pierre. Lors d'un séjour à Londres, il vit la cathédrale Saint-
Paul, et eut enfin le plan définitif de son temple : il voulait
que les Anglais, débarquant en France, croient voir leur
cathédrale transportée à Boulogne. Enfin, il put dire la première messe de Notre-Dame, dans l'édifice inachevé.

La cathédrale de Boulogne vue de la route de Calais

La cathédrale devenait immense ; quand on s'aperçut de
l'énormité de son projet, tous les architectes venus le conseiller
le quittèrent, furieux, en prononçant des prédictions terribles.
Lui persistait à nier la physique et à remplacer les lois de

l'équilibre par le rêve. Une nuit, avant la dernière phase, qui consistait à couronner le chœur d'un dôme de cinquante mètres, il fut pris de soupçons affreux ; son sommeil fut agité de lézardes et d'éboulis, et il voyait des foules entières de paroissiens, écrasés sous les pierres, qui l'accusaient de l'au-delà, tandis qu'une armée d'architectes déchirait ses croquis avec des rires féroces et lui désignait des compas géants et des instruments bizarres. Il s'éveilla épuisé, alla s'agenouiller devant la Croix et dit : « C'est à vous, mon Dieu, de résoudre ces difficultés. »

On posa le dôme ; cela tint ; et les blocs énormes, rachetés de la pesanteur par la foi, supportèrent un beau lanternon avec une statue de la Vierge qui dominait toute la ville.

Et c'est dans la lignée de Notre-Dame de Boulogne que fleurissent, partout en France, les cathédrales de la Vierge ; il y en eut une à Marseille ; il y en eut une à Lyon ; il y en eut dans bien d'autres lieux ; il y en eut une aussi dans les Pyrénées, là ou la dame, vêtue de blanc et d'azur, s'était montrée un jour en une grotte à une pauvre jeune fille nom-mée Bernadette.

Jean-Olivier SIGNORET

LE CRUCIFIÉ DES FLOTS

Les premiers habitants de Rue étaient païens ; ils adoraient les dieux des eaux et des forêts ; et au printemps, pendant certaines nuits, ils érigeaient d'immenses statues d'osier, vides, qui représentaient quelque divinité avide. Ils y enfermaient des hommes pour les brûler, et les cris des sacrifiés déchiraient la campagne. Ainsi de grands bras de feu illuminaient la Picardie que les bras d'amour du Christ n'avaient pas encore étreinte.

En ces âges sombres que seuls les bûchers idolâtres éclairaient, les empires s'engloutissaient dans un long crépuscule. De l'Orient à l'Occident des peuples jeunes et hirsutes, animés par la main de Dieu, déferlaient sur les cités pour y exercer les ravages qui préparaient le grand matin du Christ.

Enfant de ces clans barbares, le chef franc Ragnacaire, qui vivait à l'époque de Clovis, régnait sur ces terres qui devaient prendre un jour le nom de Ponthieu. Contrairement à celui du premier roi chrétien, le cœur de Ragnacaire était demeuré sourd aux paroles du doux pasteur de la Judée ; et tous les Francs séditieux, déçus par la conversion de Clovis et fidèles aux croyances sauvages de leurs pères, avaient suivi l'éclat de sa francisque et parcouraient le pays pour y semer la mort.

Plus d'un paysan pieux et bien des prêtres s'étaient vu ouvrir le chemin du paradis par la terrible hache des Francs.

On vit arriver un jour sur la Maye une flotte formidable qui brillait dans les premières lueurs du levant. C'était Clovis et son armée qui venaient affronter, au nom du vrai Dieu, le tyran du Ponthieu. Ils voguèrent en silence dans les vapeurs de l'aube, fendant l'eau avec douceur, et vinrent s'assembler devant la résidence de Ragnacaire. Elle était installée sur un tertre que la marée baignait, dans la baie de la rivière au nord de Rue. S'éveillant d'une nuit d'orgie, le païen quitta son lit pour découvrir ces milliers de guerriers farouches réunis devant lui, sur des barques immobiles portant les armes du Christ. Un poids énorme l'accabla ; il parut comprendre quelque chose, et il mourut le regard éteint après une courte résistance. En souvenir de lui, le tertre où on l'enterra prit son nom que les siècles déformèrent en Regnière.

Sa veuve fut sensible à la foi des missionnaires. Elle épousa en secondes noces Aymeric, comte de Boulogne, et les premières pierres blanches des églises s'élevèrent dans un ciel débarrassé des ombres du paganisme et où il semblait qu'on entrevoyait, parfois, la face sereine de Jésus derrière le soleil. En effet, en ces temps-là, la foi était vaste et Dieu se montrait aux hommes.

Une nouvelle armée succéda à celle de Clovis ; elle s'enfonça dans les campagnes. C'étaient les moines illuminés des premiers siècles, qui venaient avec leur bure sur la peau et le Christ au cœur infuser la terre entière de leurs paroles de feu. Certains arrivaient des îles de l'ouest à bord de simples nacelles ; ils bouleversaient les foules, commandaient aux tempêtes et aux fauves, et les rois leur obéissaient.

Un blanc manteau d'églises couvrit la terre.

*

* *

Cependant, la paroisse de Rue prospérait. Waben eut une église dédiée au Père, et Abbeville au Fils ; l'Esprit-Saint eut un temple à Rue. Il advint qu'un jour le prêtre mourut et qu'aucun successeur ne se présenta. Les habitants résolurent d'aller chercher la sagesse où elle se cachait et ils prirent le chemin de la forêt profonde. Là, dans une minuscule clairière, saint Riquier avait construit une hutte à côté d'une source fraîche qui sourdait parmi les mousses. Il priait sans cesse, ne dormait pas et voyait Dieu, parfois, entre les frondaisons. Les oiseaux se posaient sur ses épaules pendant qu'il méditait immobile devant sa cabane et lorsqu'il se relevait, au matin, après une nuit d'oraisons, la rosée faisait scintiller ses haillons. A côté de la source une fleur blanche s'ouvrait chaque matin et ne mourait jamais.

Il leur donna son eau, les bénit, et prononça le nom de Vulphy. C'était un clerc mais pas un prêtre ; beau de corps et d'âme, il avait passé sa jeunesse dans l'étude de l'Ecriture. S'étant estimé indigne du sacerdoce suprême, il s'était marié et avait eu trois filles. La famille vivait dans un amour que chacun offrait aux autres et que tous adressaient au Christ.

Vulphy dut se séparer de ses attachements terrestres et alla habiter non loin de chez lui, au presbytère. Mais désormais le chemin qui le séparait de son ancienne demeure était aussi long que celui qui sépare ce monde-ci du ciel. Le doux lit conjugal fut remplacé par la couche froide et solitaire du prêtre ; il s'obligea à ne plus voir sa femme, même de loin ; mais la nuit, parfois, il se surprenait à penser qu'elle dormait à l'autre bout de la rue, dans un lit qu'il avait déserté. Un matin de mai, alors qu'il revenait de l'ermitage de Riquier où il était allé chercher conseil, il la vit qui venait vers lui dans les rayons du matin. Ils se regardèrent comme deux époux, et Vulphy suivit sa femme pour ne plus rentrer au presbytère.

Déchiré entre deux amours, le cœur tendre et sincère de Vulphy était en proie à de sombres tourments. Il prit encore une fois le chemin de la forêt et cette fois-ci Riquier, sur le point de quitter son corps, lui indiqua l'Orient où l'attendait la terre arrosée par le sang du Christ.

Il partit, pour y aller répandre ses larmes. Il voyagea pieds nus, par les tempêtes et les canicules ; sa peau noircit et son cœur s'offrit. On le voyait par les chemins, sorte de fou hirsute, terrible de repentir, farouche dans son sacrifice. Un jour il arriva à la ville ; et là, après avoir suivi le chemin que notre Seigneur avait labouré de sa Croix, il vint sur la dalle du Saint-Sépulcre pour s'y étendre face contre terre, les bras en croix, avec la tête contre son épaule droite.

Purifié par la terre céleste de Jérusalem, il revint. Riquier était en Paradis : les bois abriteraient ses dernières années. Lui qui s'était vaincu, il installa sa celle à Regnière, dans la forêt près du tertre, là où jadis le soldat de Dieu avait triomphé du paganisme. Désirant refaire chaque jour le voyage de Jérusalem, il allait chercher son eau fort loin, à une fontaine très pure. Ses marches quotidiennes aplanirent le chemin qu'on appela la Voie du Prêtre ; des siècles après sa mort, plus personne n'y passait, mais Dieu ne permit pas que la nature l'engloutisse : il demeura en l'état tant que les hommes gardèrent un peu de foi. Et quand des paysans du Moyen Age y semèrent des grains pour réunir deux champs, ils virent un matin, au temps des moissons, des anges qui marchaient sur le sentier intact, au milieu de l'or des blés.

Saint Vulphy alla rejoindre Riquier. La belle aube du monde chrétien était finie : de nouveaux païens, venus des mers glacées du Nord, réveillèrent les souvenirs sombres laissés par Ragnacaire. Les églises furent pillées, les vases sacrés volés, les paisibles moines égorgés. La pierre blanche des cloîtres se teinta de rouge et le ronces montèrent le long des colonnes. On transporta les reliques de Vulphy à Montreuil et Rue fut déshéritée. Comme si la nature avait voulu joindre son deuil à celui des hommes, la mer se retira et les bateaux ne purent plus aborder à Rue ; seules les barques circulaient encore dans le port envahi par la vase. Non loin de Rue, les Vikings blessèrent un crucifix de leurs glaives ; il en coula du sang.

Dieu tourna son regard vers la Picardie.

★
★ ★

L'an mille passa et le monde continua. Les avares avaient légué leurs biens, les violents s'étaient réconciliés, les luxurieux s'étaient repentis. L'humanité entière avait échangé un grand baiser de paix et avait contemplé le ciel en attendant qu'il s'ouvrît. Mais le ciel était demeuré ; la date était passée, les jours avaient succédé aux jours et la terre était encore là, avec ses barbares, ses pestes et ses famines. L'homme se replongea dans le vaste bourbier du péché. Pour le punir, Dieu suscita un nouveau fléau, le Calife de Babylone qui opprima cruellement les chrétiens de Palestine.

Ce furent des persécutions incessantes, où les férocités les plus noires se mêlaient à des tracasseries tatillonnes et à des humiliations bouffonnes, comme pour souiller la robe immaculée des martyrs d'impuretés ridicules et triviales. Les fidèles durent supporter des impôts exorbitants et nouveaux qui servaient à enrichir leurs bourreaux ; on les chassa de chez eux et leurs demeures furent pillées ; les familles connurent l'horreur des séparations et on les vendit comme esclaves. Un matin le soleil se leva sur une forêt de croix où plusieurs centaines de chrétiens payaient de leur vie leur refus de se convertir aux mensonges de Mahomet, et avaient l'honneur de renouveler le sacrifice du Christ sous les huées et les crachats des musulmans. Les pèlerins revenaient dans leur patrie sans avoir pu fouler la terre sacrée ; ils racontaient les injustices et les massacres, et la chevalerie chrétienne commençait à serrer son épée en regardant vers l'Orient.

Il se trouvait à Jérusalem, non loin de la vieille ville détruite par les Romains, un chrétien de nation syrienne qui s'appelait Grégoire. Ayant eu la chance d'échapper à la furie des idolâtres, il menait une vie discrète et pacifique éclairée par l'espoir. Souvent, la nuit, lorsque le ciel étoilé faisait luire les pierres bleues de la ville, il tournait son regard vers ces vestiges où s'était joué le destin du monde ; et parfois, seul ou accompagné de quelques amis, il s'enfonçait dans ces ruines mystiques. Il semblait que le temps s'y fût arrêté ; le silence du tombeau y régnait ; et comme chacun savait que là, le ciel était descendu sur la terre, on n'y avait plus touché et tout était resté en l'état. Ils erraient, comme alourdis par une malédiction, et lorsqu'ils empruntaient certains escaliers souterrains, il leur paraissait parvenir au centre de la terre, dans un puits ancestral qui devait conduire jusqu'à l'autre monde. Sur les pavés des rues, dans les pièces des maisons, dans chaque recoin, ils passaient leurs mains comme pour y trouver quelque chose de Jésus, de Marie, de Pierre ou des autres. Ils ramenaient des bouts de tuile, des objets usuels, de vieilles étoffes qui tombaient en cendres.

Une nuit, vers la Pâque, l'un des leurs reconnut dans une riche demeure la maison de Nicodème. Saisis à la fois par une fébrilité d'enfants et une exaltation sacrée, ils se dispersèrent et rentrèrent chez eux avec un secret trop beau pour être tu. On y revint la nuit suivante, avec un prêtre et des diacres ; une porte dérobée fut ouverte ; c'était un petit atelier pour travailler le bois. Aux murs étaient pendus trois crucifix immenses, avec chacun un Christ grand comme un géant, mort, et dont le visage serein reposait doucement sur l'épaule droite. Nicodème, le disciple secret, avait voulu laisser trace de l'homme divin que ses yeux avaient vu. Le bois semblait jeune et doux comme s'il venait des forêts de l'Eden, et une bonne odeur d'aromates flottait autour de ces trois Christ qui souriaient dans leur mort victorieuse.

Arrachés au sépulcre des ruines, ils vinrent illuminer la maison de Grégoire sur laquelle s'étendit désormais un voile d'au-delà.

La Croix venait de ressusciter à Jérusalem ; émus par la voix immense du pape, et les prêches enflammés de Pierre l'Ermite, les hommes de fer de l'Occident cousirent une croix rouge sur leur tunique, embrassèrent leur femme et traversèrent les terres, ayant décidé de montrer aux tyrans le double soleil de leur foi pure et de leurs armes de métal. Ils vinrent, les soldats de l'Islam prétendirent les vaincre ; et le 23 juillet 1099, un colosse paisible nommé Godefroy de Bouillon posait sur son crâne la couronne de bois du premier roi chrétien de Jérusalem, qui avait refusé une couronne d'or là où Dieu n'avait voulu qu'une couronne d'épines.

Les guerriers du Christ s'installèrent en Palestine ; les moissons et la paix remplacèrent les pieux et la haine. Les ruines sacrées furent adorées par ces géants nés dans les îles brumeuses ou les froides campagnes du nord et qui voyaient enfin la ville de Salomon et de Jésus briller sous le soleil de l'Orient.

Il était arrivé avec eux d'Italie un descendant des Normands, Etienne de Lucques, qui avait promené sa crinière blonde et son épée bleutée dans plusieurs batailles de la foi. Le hasard l'envoya loger chez le paisible Grégoire ; et entre le guerrier italien et le doux paroissien se noua une de ces amitiés que les natures contraires savent susciter. Etienne racontait ses faits d'armes à Grégoire qui apprenait à Etienne à prier ; et quand il leur fallut se séparer, le soldat mêla ses larmes à celles de son ami et lui demanda un de ses crucifix.

Cela parut énorme à Grégoire. Il n'osa refuser, consulta son évêque, et réunit tous les chrétiens. Un jour qu'il était allé au désert pour réfléchir seul, il se trouva sur les rives de la mer Morte, l'eau brillait sous midi comme un océan d'or fondu. Une branche feuillue vint vers lui, poussée par les vagues que la volonté silencieuse de Dieu animait depuis les premiers jours du monde. Grégoire revint, et il fut décidé que Dieu, qui venait de rendre sa ville aux chrétiens et sa triple image à leur adoration, serait seul à choisir la destinée des reliques.

Dans un petit port de pêche de la Méditerranée se présenta un matin un cortège qui avançait au son des cantiques. C'était le Patriarche de Jérusalem, tous ses prélats, et plusieurs milliers de fidèles dominés par trois crucifix gigantesques qui tournaient le dos au soleil et avançaient vers les flots précédés d'une ombre immense. Ils traversèrent la ville ; les pêcheurs attablés sous les pampres laissèrent leurs figues et leurs olives pour les suivre ; les femmes aussi, qui réparaient les filets, se joignirent à cette foule inspirée. Enfin la colonne s'immobilisa sur une petite jetée de bois et la poussière des sandales flotta un instant sur la mer transparente.

Les trois christs furent dressés face au large ; quelques oiseaux criaient dans la tiédeur du matin, et un groupe d'enfants pêchait sur les planches. Les pêcheurs se disputèrent l'honneur de vendre leur plus belle barque au clergé et trois embarcations colorées furent amenées. On déposa leur gouvernail et chacune fut chargée de son Dieu de bois qui ouvrait ses bras vers le ciel paisible. Le *Veni Creator* et le *Vexilla Regis* résonnèrent sur l'onde, et l'on poussa les nacelles vers l'Occident. Elles s'éloignèrent doucement ; puis le scintillement aveuglant des vagues parut les engloutir ; elles y disparurent.

Jérusalem avait été prise depuis deux ans ; les Vikings étaient devenus chrétiens et cultivaient la Normandie ; si la mer avait pu remonter et faire revenir les gros navires mar-

chands à Rue, on aurait pu croire que les jours dorés d'autrefois revenaient. Mais la mer, qui avait vu, il y avait des
siècles, arriver la flotte pieuse de Clovis, et qui avait ramené
de Jérusalem un Vulphy purifié qui avait fait la renommée de
la ville, semblait rester cette fois-ci stérile.

Animé par ces sombres pensées, un pauvre paysan passait
le 1ᵉʳ août 1101 la porte de la Grève et se dirigeait vers la
plage pour y aller ramasser quelques coques destinées à améliorer l'ordinaire de sa famille. Jadis les vagues venaient
lécher les pierres de la porte, et elle était encore tout érodée
des lames écumantes qui montaient jusqu'aux plus hautes
marches de son escalier les jours de tempête. Mais c'était il y
a bien longtemps, en ces temps légendaires que son père avait
entendu raconter par son aïeul, quand les énormes bateaux
anglais venaient acheter du blé et vendre du cuivre et de l'or.

Il lui fallut marcher longtemps vers la mer avant de parvenir aux premières mares. Le soleil encore bas brillait sous la
porte et lui ménageait une route lumineuse qui faisait luire le
sable humide. Il arriva aux premières vagues et regarda vers
le large. Comme il n'y avait rien, il se mit à fouiller le sol.

Tandis qu'il dégageait les petites pépites nacrées de leur
gangue de sable, il jetait de temps à autre un regard vers la
mer, comme aux jours de son enfance, quand il guettait avec
ses compagnons le retour des nefs chargées de métaux rares.
Agacé par sa bêtise, il reprenait son labeur. Qui peut redonner vie à ce qui est mort ?

Une fois cependant, il lui sembla voir un point noir à l'horizon, dans les lueurs éblouissantes de l'aube marine. Il n'y
pensa plus et continua à chercher sa pitance. Pourtant le
point était là et prenait la forme d'une barque. Bientôt il put
voir ses couleurs, plus vives que celles des barques picardes ;
elle allait aborder au nord de la plage. Elle fut plus rapide
que lui et lorsqu'il l'atteignit, elle était échouée sur la grève,
encore balancée par les vagues. Il y avait quelque chose

dedans et tandis qu'il s'approchait, il se sentit étreint d'une forte angoisse et tomba sur le sol en tremblant, les larmes aux yeux. Deux mains immenses dépassaient des côtés de la chaloupe et quand il se releva, il vit notre Seigneur Jésus-Christ, grand comme un arbre, étendu sur sa croix, posé sur les bancs des rameurs, et qui venait de traverser les mers pour venir à lui.

L'âme opprimée d'une terreur sacrée, il s'enfuit en courant et balbutia son histoire à quelques pêcheurs. Comme il était tenu pour un homme sérieux, sans goût pour la boisson, on le suivit. Tous ceux qui vinrent, dès qu'il approchèrent de la nef, se mirent à marcher lentement ; leurs yeux retrouvèrent la limpidité des regards d'enfant, leurs gestes devinrent nobles et harmonieux. Les visages ravagés par le sel et le froid parurent frais comme en leurs premières années ; les physionomies les plus disgraciées élégantes, même sous les haillons les plus pitoyables ; les cœurs endurcis s'ouvrirent, et ces pauvres et rudes marins du Nord parurent tout éclairés d'une lumière nouvelle qui ne venait pas du soleil. Tous tombèrent à genoux pour commencer la première vraie prière de leur vie.

Enfin le prêtre et ses clercs, avec toute la population, arrivèrent. Le Crucifix fut planté dans le sable, puis porté vers la ville. Le Christ était face au soleil et souriait doucement, comme quelqu'un qui est heureux d'arriver chez lui après un long voyage. On ne prit pas garde à la nef qui fut reprise par les vagues et disparut au large. Le prêtre entonna alors une prière de remerciement à la mer consolatrice qui avait éloigné les marchands pour permettre à Dieu d'aborder ; et le Christ des flots, qui avait attendu mille ans dans le silence d'une tombe orientale et traversé les mers, vint trôner dans le chœur d'une petite église de Picardie.

Une des autres nacelles arriva dans un village normand ; quant à la dernière, elle aborda à Lucques où Etienne était allé l'attendre, et à qui elle parvint chargée d'une petite ampoule de sang divin. Le Patriarche de Jérusalem l'avait ajoutée à la demande de Grégoire, qui la destinait par ses prières à son ami italien.

★
★ ★

Le Crucifix fit revivre la ville ; les pèlerins y affluaient de toute la chrétienté ; les comtes firent des donations, et plusieurs rois vinrent prier devant la relique. On construisit une maladrerie pour accueillir ceux qui revenaient de Terre Sainte avec la lèpre, et les miracles y furent innombrables. Les malades guérissaient, les infirmes retrouvaient leur vigueur, et bien des navires durent leur salut à quelque prière adressée, pendant la tempête, à Celui qui avait vogué sur les flots. La petite commune, sise entre la mer infinie et la forêt profonde, prospérait autour de son Christ.

Un jour, des gens d'armes accompagnés de magistrats se présentèrent devant l'église de Rue : les Abbevillois avaient demandé et obtenu que la sainte image soit confiée à la capitale du comté. Devant la population consternée, la petite troupe pénétra dans le chœur et s'empara du crucifié. Voyant cette justice sacrilège, qui succédait à la violence sacrilège des barbares sans en avoir la fougue, et qui ajoutait à l'indignité de la profanantion l'hypocrisie et la mesquinerie du droit, les fidèles se mirent à prier leur vieux saint, le grand Vulphy, et Jésus, qui avait préféré naître en la modeste étable de Bethléem que dans la grande ville de Nazareth.

Les magistrats, dont la morgue ne cachait pas la honte, firent charger le crucifix sur une charrette attelée de quatre forts chevaux. Le convoi s'ébranla ; le Christ tremblait à chaque cahot de la route et le soleil, qui descendait sur la mer, éclairait tout cela de reflets rougeâtres. On arriva à la grande forêt et les premiers arbres se refermèrent sur le groupe. Soudain, parmi les chênes ancestraux, dans le grand silence du soir, les bêtes parurent sentir quelque chose ; leurs jambes énormes s'immobilisèrent et plus rien ne bougea. La brutalité des hommes d'armes n'y fit rien ; les insultes et les coups résonnèrent dans la forêt sans obtenir d'effet. On détela trois chevaux ; ils disparurent dans le crépuscule et personne ne les revit jamais. Quant au dernier, sur lequel on s'acharnait, il fit paisiblement demi-tour et réapparut bientôt à l'orée des bois. Et tandis que le Christ revenait à Rue sur une charrette de paysan, dans les senteurs du soir et les cris d'allégresse, il sembla à quelques personnes qui levèrent les yeux vers le ciel enflammé pour remercier Dieu que la face immense de leur Jésus de bois, étrangement semblable à celle de saint Vulphy, se dessinait dans les éclats du couchant.

Jean-Olivier SIGNORET

EUSTACHE LE MOINE
LE PIRATE MAGICIEN
ET LE VAISSEAU FANTOME

La légende du « vaisseau fantôme » qui a inspiré tant d'écrivains et tant de poètes, est née quelque part sur les côtes de la Manche ou de la mer du Nord au début du XIIIe siècle, et son origine est liée à un personnage hors du commun, sorte de Robin des Bois des mers, Eustache Le Moine.

Eustache est né au Courset près de Desvres à la fin du XIIe siècle, il est le fils de Baudouin Busket, noble seigneur boulonnais. Le jeune garçon entre très tôt dans les ordres au monastère de Saint-Wulmer de Samer. Son destin bascule lors d'un pèlerinage en Espagne. Le roman écrit sur sa vie à la fin du XIIIe siècle, nous apprend qu'à Tolède, il a rencontré le diable qui en a fait un de ses disciples, l'entraînant dans son royaume souterrain où il lui fut enseignée la magie noire. En réalité, le jeune homme a été probablement initié à l'Alchimie par des religieux musulmans ou hébraïques. Il gardera toute sa vie cette réputation de magicien et inspirera une frayeur terrible à ses ennemis.

Le retour en France d'Eustache est sillonné de courtes

aventures caractérisées par l'utilisation abusive des pouvoirs surnaturels qui sont devenus les siens. Dans une auberge où il s'est arrêté au cœur de la petite ville de Montferrant, notre moine et ses compagnons de route se querellent avec la tenancière qui tente apparemment de les escroquer. Eustache jette alors un sort à la pauvre femme qui brutalement se dépoitraille et se met à danser de façon frénétique. Les clients qui entrent dans l'établissement sont également victimes de ce maléfice. Les voyageurs profitent de la situation pour fuir la ville, mais de nombreux habitants partent à leur poursuite et réussissent à les rattraper. Eustache doit une fois de plus utiliser ses pouvoirs et fait gonfler les eaux de la rivière qui le sépare de ses poursuivants dans une scène digne du *Seigneur des anneaux* de Tolkien. Finalement, après avoir parlementé avec les citadins, Eustache et ses amis acceptent de revenir à Montferrant et mettent fin à une situation pour le moins cocasse.

Les voyageurs reprennent leur route vers le nord mais au bout de quelques heures de marche la fatigue se fait sentir. Heureusement ils rencontrent un brave marchand de vin qui accepte de les prendre sur sa charrette moyennant quelques pièces. Mais l'homme est particulièrement pressé et conduit son véhicule de telle façon que les moines, agrippés aux tonneaux, ont toutes les peines du monde à se maintenir sur la charrette et à ne pas être éjectés sur le chemin. Eustache se décide à intervenir et ensorcelle le cheval qui peu à peu ralentit pour finalement avancer à reculons. La stupeur du marchand fait rapidement place à la frayeur quand il comprend qu'il a en face de lui un magicien capable de tout. Il rembourse les voyageurs et s'éclipse très vite.

De retour à Samer, Eustache reprend une vie communautaire au monastère Saint-Wulmer. Mais très vite il se fait remarquer par l'influence négative qu'il exerce sur les autres religieux. Ses farces vont de plus en plus loin et perturbent le bon fonctionnement de la maison. Un jour, il transforme en truie la vache qu'un de ses frères commençait à traire, pendant le carême il change l'eau de table en vin. Le roman nous dit :

« Il faisait les moines jeûner quand ils devaient déjeuner. »

« Il les faisait aller nu-pieds quand ils devaient être chaussés. »

« Eustache leur faisait mesdire quand ils devaient les heures dire. »

« Eustache leur faisait méprendre quand ils devaient leurs grâces rendre. »

Lorsque son père est assassiné, Eustache n'hésite pas une seconde, il se « défroque » et demande justice. Il affronte le champion de l'assassin présumé et le tue au cours du « jugement de Dieu » organisé à Etaples. Son charisme est tel que le tristement célèbre Renaud de Dammartin, comte de Boulogne, le prend à son service et en fait son sénéchal. Mais rapidement de nombreuses discordes vont apparaître entre les deux hommes. Eustache est accusé de profiter de sa charge pour voler et tuer, et il est mis hors la loi par le seigneur de Boulogne. A l'image de Robin des Bois, il se réfugie dans la forêt avec quelques compagnons et décide de rançonner les voyageurs. Une armée entière est mobilisée pour capturer le magicien mais en vain, l'homme est insaisissable, les vols se multiplient, une odeur de soufre se répand peu à peu dans les campagnes boulonnaises.

Un soir de décembre 1212, l'abbé de Jumièges qui circulait entre Montreuil et Boulogne alors qu'il venait toucher le loyer de certaines fermes que son abbaye possédait dans la région, fit une étonnante rencontre. Il s'était égaré et se trouvait au milieu d'un petit bois lorsque son cheval s'arrêta net et l'abbé fut dans l'impossibilité de le faire avancer, au contraire l'animal reculait. Soudain une voix d'outre-tombe

retentit de derrière les buissons : « Arrête, voyageur imprudent. Ne sais-tu pas que tu te trouves dans les domaines
d'Eustache ? »

L'abbé fut terrifié lorsqu'il vit un immense fantôme aux
yeux rouges, une immense épée à la main s'avancer vers lui.
L'infernale créature le dépouilla puis le rossa mais le laissa
partir sain et sauf. Lorsque le religieux eut disparu, le spectre
se débarrassa de son linceul, retira l'énorme citrouille de ses
épaules, éteignit la flamme rouge et se mit à rire en contemplant la petite fortune qu'il venait de soutirer à l'homme
d'Eglise.

Finalement, traqué de toute part, Eustache et ses compagnons se voient contraints de voler une barque et de fuir.
Une idée vient alors au rusé magicien : s'il ne peut plus exercer ses talents à terre, il le fera sur la mer. Il se lance alors
dans la piraterie et très vite se fait un nom en pratiquant la
course de la Normandie à la Flandre.

Pendant de nombreuses années il va faire régner la terreur
à la tête d'une véritable flotte. Personnage charismatique, il
impose le respect à ses hommes qui lui vouent une confiance
totale. Les prises sont nombreuses et le riche butin est largement partagé entre tous. Son vaisseau amiral est une imposante galère qu'il a transformée en palais. Ses espions sont
partout et l'avertissent des moindres mouvements de bateaux
sur son « territoire », ses connaissances en mathématiques et
en astronomie font de lui un adversaire terrible et insaisissable.

De plus, Eustache le Moine a mis au point une tactique
particulièrement diabolique pour paralyser ses proies. Les
soirs de tempête, son navire se métamorphose, des lumières
de plusieurs couleurs sont promenées partout, sur le pont, le
long des voiles, des musiques et des sons étranges amplifient
le bruit déjà sinistre du vent. Eustache n'a plus qu'à fondre
sur sa victime, les marins ne résistent pas, paralysés par la

peur que leur inspire le pirate. Partout dans les ports le bruit court que lorsque le vent se lève et que la nuit tombe, le « malin » en personne patrouille le long des rivages à bord de son vaisseau fantôme.

Le commerce entre l'Angleterre et la France est mis en danger par les actes de piraterie qui se multiplient. Le roi d'Angleterre, Jean sans Terre, décide de pactiser avec le diable. Ses émissaires rencontrent le pirate en secret et lui proposent de continuer de courir les mers, mais sous l'étendard anglais et à la tête d'une imposante flotte. Eustache accepte mais trahira un peu plus tard ce maître peu recommandable pour passer au service de Philippe Auguste. C'est sous la bannière française et avec le titre d'amiral de la flotte qu'il viendra en aide aux barons anglais révoltés. Il sera tué au cours d'un engagement naval à l'embouchure de la Tamise, réalisant ainsi la prédiction faite par le diable à Tolède: « Tu vivras tant que tu feras le mal, tu combattras les comtes et les rois, et tu périras en mer. » Eustache avait accumulé un fabuleux trésor qui serait caché quelque part au large du cap d'Alprech.

Jean-Christophe MACQUET

LA LEGENDE DU DIPTYQUE
DE SAINT-JACQUES DE COMPOSTELLE

Comment ne pas croire aux miracles en contemplant dans l'église moderne d'Etaples un diptyque du XVIᵉ siècle sur lequel douze petits tableaux peints en couleur racontent les miracles qui marquèrent le pèlerinage d'une famille étaploise se rendant à Saint-Jacques-de-Compostelle en 1550.

En effet, avant la Seconde Guerre mondiale, ce diptyque était accroché à un mur à l'entrée de la nef droite de la belle église romane d'Etaples datant du XIIᵉ siècle qui fut détruite lors du bombardement aérien du 15 juin 1944. Ce diptyque qui avait été mis à l'abri fut un des rares trésors qui échappa, indemne, à la destruction de ce vieux sanctuaire.

Plus tard, il fut accroché dans la chapelle en bois construite pour remplacer provisoirement l'ancienne église. Par quel nouveau miracle ce diptyque échappa-t-il à l'incendie qui détruisit cette chapelle ? Dieu seul le sait.

Vers 1550, une famille étaploise composée du père, de la mère et de leur fils passa les Pyrénées pour se rendre en pèlerinage à Saint-Jacques-de-Compostelle. Nos trois voyageurs descendirent dans une hôtellerie où la servante se mit à faire

Eglise St Michel
ETAPLES   S.R.

des avances au jeune homme. Dédaignée, elle jura de se ven-
ger de lui, et, profitant de son sommeil, glissa dans son sac
une coupe d'argent et partit aussitôt le dénoncer pour vol.
Les alguazils lancés à sa poursuite le capturèrent et l'amenè-
rent devant les juges. Reconnu coupable, il fut condamné au
gibet. Les parents n'en poursuivirent pas moins leur voyage
et parvinrent à Compostelle. Sur le chemin du retour, ils
eurent l'immense joie de retrouver leur fils vivant sur les
lieux mêmes du supplice. Après avoir coupé la corde, ils
retournèrent ensemble rendre grâce au pied de l'autel de
Saint-Jacques et consacrèrent leur fils à Dieu. Par une per-
mission divine, alors qu'ils étaient tous trois dans une dépen-
dance de l'église, un coq et une poule leur contèrent les circonstances au cours desquelles leur fils avait été condamné.
Par un premier miracle, ils eurent la faculté de comprendre le

langage des volatiles. Après avoir conduit leur fils au lieu choisi pour se consacrer au Seigneur, ils s'en retournèrent à l'hôtellerie en compagnie de magistrats afin de confondre la servante qu'ils trouvèrent occupée à faire cuire à la broche un coq et une poule. L'accusée, comme il se doit, commença par nier les faits qu'on lui reprochait. C'est alors qu'un deuxième miracle se produisit : pour convaincre les juges, Dieu permit que les volailles se décrochent d'elles-mêmes pour apparaître bien vivantes sur la table où elles renouvelèrent devant l'assistance stupéfaite le récit des événements. C'est ainsi que la servante coupable fut condamnée à être brûlée vive dans son foyer.

Le père et la mère s'en retournèrent alors à Etaples où, une fois arrivés, ils témoignèrent leur reconnaisance au Seigneur en faisant don à l'église Saint-Michel du célèbre diptyque de Compostelle.

En 1898, M. Achille Souquet, président des marguilliers d'Etaples, qui avait retrouvé les vestiges du tableau, les remit à l'abbé Thierry, doyen de la paroisse, et tous deux reconstituèrent la légende.

Pierre BAUDELICQUE

LA TRAGIQUE HISTOIRE DE LA STATUE
DE NOTRE-DAME DE FOY

De temps immémorial, la marine d'Étaples a manifesté une adoration sans borne envers la Vierge Marie, implorant sa divine protection au milieu de l'océan. Pendant des siècles, la ferveur des matelots se manifesta dans une église située sur la colline des Cronquelets, dans le quartier nord de la ville. L'abbé Philippe Luto, qui vivait au XVIIIᵉ siècle, appelait ce sanctuaire Sainte-Marie-du-Kroquet. Dom Grenier, quant à lui, nous apprit qu'il était, à l'origine, dédié à Saint-Nicolas. Très vite, cependant, il fut connu sous le nom de Notre-Dame de Foy. Car, en 1628, le 2 février exactement, un jésuite, le père Fafemont, frère aîné du seigneur d'Hilbert, mort ensuite à Douai « en odeur de sainteté, fit présent à ladite église d'une vierge miraculeuse à la condition qu'on lui chantât fêtes et dimanches un Salve Regina ». Cette petite statue en bois venait de la ville de Foy, située près de Dinant, en Belgique. Elle avait été sculptée dans un vieux chêne mesurant environ huit mètres de circonférence. En 1609, ce chêne avait été vendu à un batelier pour en faire, pensait-il, un beau navire. L'ouvrier chargé d'abattre l'arbre, constatant qu'il était creux et vermoulu, avait alors reçu l'ordre de le débiter en bûches de chauffage. En fendant l'énorme tronc avec des coins de fer, les bûcherons avaient découvert à l'intérieur, cachée derrière trois barreaux de fer rouillé, une petite statue de la Vierge. Comprenant que Marie avait choisi ce lieu pour y être invoquée, le batelier avait alors fait placer la statue dans un chêne voisin. Poussé par un élan irrésistible de ferveur religieuse, le peuple chrétien n'avait pas tardé à y organiser des pèlerinages. Les premiers fidèles s'étaient empressés de recueillir les débris du chêne qui avait abrité la statue miraculeuse pour en sculpter d'autres à l'image de Notre-Dame. A l'endroit même où était situé le chêne se dresse aujourd'hui une église dédiée, comme celle d'Étaples, à Notre-Dame de Foy.

Pendant des siècles, les marins d'Étaples se prosternèrent devant la statue vénérée placée dans l'église des Cronquelets. Pendant des siècles, exauçant pieusement le vœu du père Fafemont, ils chantèrent le Salve Regina à la fin de chaque messe, et contrairement à la pratique universelle de l'Église, ils firent octave et neuvaine à la Purification de Notre-Dame, le 2 février, en mémoire du jour où la statue avait été remise à leur église. A la Pentecôte, la foule d'Étaples rendait hommage pendant trois jours à la statue de Notre-Dame de Foy. Supprimé en 1793, le pèlerinage fut rétabli en 1801 au moment où le Premier Consul rétablissait les liens avec le Vatican. Mais ce pèlerinage ne dura plus alors qu'une seule journée.

Sous l'Ancien Régime, la dévotion particulière de la marine pour la statue se manifestait par de nombreux cadeaux qui ornaient la petite église, devenue chapelle en 1701, la nef du nord étant tombée en ruine. L'un des plus anciens de ces cadeaux qui avait échappé à la fureur révolutionnaire était un cœur en argent qui portait la date de 1638. Ce pieux souvenir a aujourd'hui disparu comme tant d'autres témoignages de la splendeur passée d'Étaples.

Le dernier chapelain de Notre-Dame fut Jacques Duflos qui mourut en 1763. A partir de cette date, le clergé de l'église Saint-Michel prit définitivement en charge la chapelle où n'en demeura pas moins la vénérable statue.

Venons-en à la Révolution, au moment des persécutions religieuses. Les deux églises d'Étaples furent profanées. En 1790, la chapelle Notre-Dame de Foy fut fermée avant d'être transformée en atelier de fabrication de salpêtre. Les locaux furent ensuite aménagés afin que la Société Populaire de la ville puisse y tenir ses réunions. En frimaire de l'An II (novembre 1793), la Convention Nationale envoya un chargé de mission dans le Pas-de-Calais pour y réchauffer le patriotisme des habitants et y étouffer un prétendu complot de fédéralisme. Il s'agissait du dénommé Joseph Lebon, de sinistre mémoire, véritable bourreau dont la venue dans le département se traduisit par des ruisseaux de sang. Rien que dans sa ville natale d'Arras, il fit monter à l'échafaud plus de trois cent cinquante personnes. Le matin du 4 frimaire (24 novembre 1793), la cité était en émoi et tout le monde se mit à trembler : on annonçait dans la journée l'arrivée de Joseph Lebon. Le soir même, le terrible chargé de mission fit allumer un feu sur la Grand-Place dans lesquels furent jetés pêle-mêle tous les objets du culte, cérémonie sinistre qui devait servir de prélude à la dramatique épuration dont allait être victime la bourgeoisie dirigeante de la ville dans les journées suivantes. C'est alors qu'une humble femme, Catherine Ramet, épouse Bigot, se dévoua pour sauver des flammes révolutionnaires la statue de Notre-dame de Foy. Elle monta discrètement jusqu'à l'église des Cronquelets, mit le précieux objet dans son tablier et prit la direction de son logis. Tandis qu'elle descendait la petite rue de l'Hôpital, elle croisa un membre de la Société Populaire qui fut intrigué par sa démarche. Interrogée sur la nature de son chargement, elle répondit sans se démonter qu'elle rapportait du sable chez elle. Pendant dix ans, la statue resta cachée à son domicile au n° 15 de la rue de Rosamel. La vierge vénérée qu'elle avait dissimulée sous le seuil d'entrée de sa maison fut rendue à l'adoration des fidèles en 1803 mais elle ne retourna pas à la chapelle des Cronquelets toujours désaffectée. Elle fut placée dans l'église Saint-Michel sur un autel qui porta désormais son nom.

Pendant près de cent cinquante ans, la statue devait à nouveau être l'objet de la ferveur religieuse de la foule d'Étaples toujours prompte à s'assembler dans sa vieille église. En 1928, un important pèlerinage eut lieu en Belgique à Foy afin de célébrer le tricentenaire de Notre-Dame. Le chanoine Cyrille Gaillot, doyen de Saint-Michel, entouré de deux cent trente de ses paroissiens, ramena la vénérable statue à l'endroit d'où elle était partie trois cents ans auparavant afin qu'elle participe aux grandioses cérémonies organisées en l'honneur de la Mère du Seigneur. Huit jours plus tard, elle était de retour à Étaples et reprenait sa place dans la chapelle de la nef gauche de l'église Saint-Michel.

Six ans plus tard, en 1934, un second pèlerinage eut lieu pendant deux jours au même endroit près de Dinant. Une importante délégation y représenta dignement la ville d'Étaples. Dans le cortège se rendant à l'église, on put voir la statue séculaire de Notre-Dame de Foy venue des bords de la Canche portée par les matelots d'Étaples qui avaient, pour la circonstance, revêtu leur uniforme de la Marine nationale. Ils étaient suivis des dames et des demoiselles de la marine dans leur magnifique costume traditionnel, coiffées du « grand soleil ».

La position stratégique de la ville d'Étaples lui valut d'être la cible de nombreux bombardements au cours des deux dernières guerres. Le 15 juin 1944, deux mois et demi avant la Libération, l'église Saint-Michel, qui avait traversé sans dommage tant d'épreuves au cours de sa longue histoire, fut anéantie par un raid aérien qui détruisit ce qui restait du quartier sud-est de la cité. Mais dans les ruines, on retrouva intacte la statue vénérée.

Sitôt les Allemands partis, on se mit à l'ouvrage afin de dégager la ville de ses décombres. Les Étaplois ne pouvant rester longtemps sans lieu de prière ne tardèrent pas, malgré les priorités, les exigences de la vie quotidienne et de la reprise économique, à construire sur la place Jeanne-d'Arc une chapelle provisoire permettant de remplacer l'église disparue si chère à leur cœur. Le 24 mars 1945, les travaux étaient terminés et la chapelle bénie. La statue de Notre-Dame de Foy y fut bien entendue placée et rendue à l'adoration du peuple d'Étaples. Rien ne semblait pouvoir l'arracher à la dévotion de ses fidèles. Depuis son arrivée sur les bords de la Canche, trois siècles plus tôt, elle avait traversé intacte toutes les viscissitudes, tous les drames, tous les périls de l'Histoire. Mais il était écrit qu'Étaples ne garderait aucun vestige de son glorieux passé. C'est dans la nuit du 9 au 10 juin 1950 que le destin porta son coup fatal à l'antique statue. Cette nuit-là, vers une heure, un incendie se déclara dans la chapelle et embrasa rapidement tout le bâtiment construit en bois. Les dégâts furent considérables et l'on ne retrouva rien de la statue qui si longtemps avait été l'objet de tant de vénération de la part du vaillant peuple de la marine d'Étaples.

La dévotion à Notre-Dame de Foy n'en restait pas moins toujours aussi vive dans le cœur des Étaplois. En attendant la reconstruction définitive de l'église Saint-Michel, un nouveau baraquement en forme de demi-lune fut dressé au cœur de la ville, dans la rue Léon-Billiet. En juin 1952, le lundi de la Pentecôte, les marins fidèles reprirent la coutume ancestrale du pèlerinage. A nouveau, la foule accourut dans le sanctuaire provisoire qui retentit des accents du vieux cantique populaire composé par les Étaplois en l'honneur de leur Sainte Protectrice.

Deux ans plus tard, le 27 mai 1954, jour de l'Ascension, une nouvelle statue de Notre-Dame de Foy, sculptée par un artiste de Lille à l'initiative de l'abbé Pierre Lecointe, doyen de Saint-Michel, fut solennellement bénite par monseigneur Parenty.

Dans la nouvelle église Saint-Michel, inaugurée le 3 juillet 1960 par monseigneur Perrin, évêque d'Arras, l'abbé Lecointe, toujours lui, fit aménager une chapelle dédiée à Notre-Dame de Foy dans laquelle il fit placer la nouvelle statue au pied de laquelle les pèlerins peuvent à nouveau, aujourd'hui, venir se recueillir.

Pierre Baudelicque

MARIANNE TOUTE SEULE
FONDATRICE DE BERCK-PLAGE

Généralement, les personnages historiques qui entrent dans la légende sont, à quelques exceptions près, des êtres hors du commun, des guerriers ou des rois ayant accompli un fait extraordinaire qui a souvent bouleversé la vie d'une nation ou d'une région. Ce n'est pas le cas de la Marianne berckoise, simple fille du peuple dont l'existence ne fut que malheur et dévouement mais qui est peut-être par son action la « fondatrice de Berck-Plage ».

Marie Anne Elisabeth Bouville, épouse Brillard, est née à Berck le 18 novembre 1812. Avec son mari Philippe Brillard et leurs six enfants, elle avait élu domicile au milieu des dunes à l'emplacement de l'actuel « entonnoir ». Elle passait ses journées à garder les enfants des familles de marins pendant que le père était à la mer et la mère occupée sur la plage à pêcher les crevettes ou à chercher des vers. Son amour des enfants était tellement perceptible que M. Charpentier, sous-inspecteur des enfants assistés de Montreuil-sur-Mer, lui confia la garde de huit petits « scrofuleux ». Elle avait remarqué que l'air marin et les bains de mer redonnaient des forces aux petits malheureux affaiblis par la maladie, et c'est dans une vieille brouette qu'elle transportait ses petits malades de chez elle jusqu'à la mer.

Les grandes épidémies de choléra qui ravagèrent le pays à cette époque furent terrible pour la famille Brillard. Le père fut emporté ainsi que quatre des six enfants. Marianne resta seule avec deux enfants et ses petits malades. La légende veut que le surnom de « Marianne toute seule » lui soit venu à la suite de ce malheur, mais en fait il s'agit d'un surnom familial porté également par son père et ses frères.

Elle se dévoua corps et âme à sa tâche et les résultats furent tels qu'ils attirèrent l'attention du médecin des enfants assistés, le docteur Perrochaud. L'événement intéressa même le baron de Rothschild et l'impératrice Eugénie, inquiète de la petite santé du prince impérial. En 1859, trente jeunes malades lui sont confiés puis le chiffre monte à soixante-douze en 1860 avec l'aide de trois religieuses franciscaines venues de Calais et qu'elle loge dans son grenier. On disait de Marianne qu'elle ne pouvait résister aux pleurs d'un enfant.

Une revue anglaise, *The London Society illustrated magazine,* publia à cette époque un article sur Marianne.

« Il y avait une fois une vieille femme. Elle habitait près de la mer. Et quelle petite vieille femme c'était ! Pour son plaisir elle prit des garçons et des filles malades, et leur dit de chercher sur la plage un trésor. Et quand ils n'avaient pas la force d'aller plus loin, sa brouette était là. Ils y montaient gaiement. Ils pataugeaient, barbotaient, gambadaient, et après la brouette les ramenait tous.

« Et quant au trésor... mes chéris, leur disait-elle, il sera sûrement trouvé demain si ce n'est aujourd'hui. Ce trésor des trésors, la richesse des richesses, le joyau des joyaux, mes chéris, c'est la santé ! »

« Et elle leur donna du bon bouillon avec beaucoup de pain, elle leur moucha le nez et les mit au lit. »

En 1861, le premier hôpital en bois est ouvert sur le bord

de mer, non loin du village de Berck. Un deuxième établissement beaucoup plus important est construit huit ans plus tard à l'initiative de l'impératrice Eugénie, il sera rebaptisé Hôpital Maritime quelques années après. Marianne peut alors prendre sa « retraite » et finir ses jours chez sa fille. Elle s'éteignit le 3 août 1874.

Elle fut enterrée au cimetière de Berck Ville et sur la croix de fer marquant sa tombe, il fut inscrit :

« Sa maison servit d'asile aux malheureux ! Elle reçoit là-haut la récompense des services qu'elle a rendus. »

Jean-Christophe MACQUET

L'ÉTONNANT MONSIEUR PARMENTIER

« L'enfant est le père de l'homme », dit un proverbe célèbre ; autrement dit : l'essentiel des éléments constituants de la personnalité humaine apparaît dès les premières années de notre existence. Cette thèse a souvent suscité des débats passionnés dont nous ne souhaitons pas nous faire l'écho ici, mais il nous semble qu'elle correspond parfaitement au personnage hors série que nous avons choisi d'évoquer : Augustin Parmentier, chercheur scientifique accompli.

En effet, dès son plus jeune âge, Augustin Parmentier révèle des qualités exceptionnelles : un sens pratique remarquable, une profonde volonté de savoir, un goût inné pour l'expérimentation, et surtout (peut-être) une générosité instinctive qui le fera aimer de tous ceux qu'il rencontrera et lui vaudra son célèbre surnom de « bienfaiteur de l'humanité ».

Cependant, ce qui apparaît le plus surprenant dans son cas, c'est que, face à l'adversité, plongé dans la détresse la plus noire, non seulement il résiste, il ne coule pas, mais il parvient à utiliser une force irrésistible qui lui est communiquée par la conscience qu'il a de la crise ou du malheur qu'il est en train de vivre. C'est ce qu'un philosophe marquant de ce temps appelle « le désespoir constructeur ».

Ainsi, lorsqu'en 1749 il traverse la place principale de la ville de Montdidier, par une soirée sombre et humide, et qu'il s'arrête devant la pharmacie du lieu, qui est tenue par maître Lombard, un étrange et redoutable personnage de la cité, il est à la fois animé par un sentiment de tristesse profonde et mû par une espèce de violence intérieure qui le pousse à agir immédiatement et de la manière la plus efficace possible.

Pourtant, la situation de ce jeune garçon de douze ans est particulièrement difficile : sa mère est gravement malade et le peu de ressources dont ils disposent, elle et lui, ne leur permettent pas d'envisager l'achat du remède qui pourrait la guérir définitivement. Il faut donc trouver une solution au plus vite, et le projet que le jeune Augustin a mis sur pied passe inéluctablement par maître Lombard, le pharmacien chimiste, l'homme dont on dit qu'il faut tout redouter, qui habite « la maison de l'or maudit », appelée ainsi pour des raisons obscures, sans doute à cause du peu d'estime que l'on porte à son propriétaire.

Mais aussi rude, inquiétant et rébarbatif que soit cet homme, c'est à lui qu'Augustin Parmentier doit s'adresser s'il veut sauver sa mère ; il n'a en effet aucun autre moyen à sa disposition pour porter secours à celle qu'il vient de laisser à la maison, gisant dans son lit, malade et fiévreuse.

Il pénètre donc dans la maison du pharmacien et le trouve dans son officine. Il lui présente le papier sur lequel il a noté le nom du remède sauveur. Le pharmacien, sans prononcer un mot, jette un coup d'œil au papier en question et après avoir observé un instant l'enfant qui est en face de lui, et surtout après avoir jaugé la qualité de ses vêtements et son apparence générale, il lui dit seulement en haussant les épaules que le médicament réclamé est excellent mais qu'il vaut un louis d'or.

Et comme Augustin lui répond qu'il est totalement

démuni, surtout depuis la mort de son père, Lombard, impassible, lui redonne le papier sans prononcer une parole et continue le travail de rangement qu'il avait commencé avant l'arrivée de l'enfant.

Augustin avait prévu cette réaction. Il connaissait l'homme, surtout de réputation : son avarice, sa brutalité, son insensibilité aux souffrances d'autrui, et il ne s'attendait pas à rencontrer chez lui la moindre trace de compassion à son égard. Il empoche donc le papier et reste planté à deux pas du pharmacien, en observant attentivement tous ses mouvements. Ce dernier, intrigué, lui demande ce qu'il attend pour s'en aller.

Augustin lui répète qu'il lui faut absolument ce médicament pour sauver sa mère qui est en train de passer.

Dédaigneux, presque irrité, Lombard lui dit que ce n'est pas son affaire. C'est alors que son jeune interlocuteur lui propose un marché en ces termes :

« Vous cherchez un apprenti, maître Lombard, lui dit-il, et vous ne parvenez pas à en trouver. Je sais lire, écrire et calculer : soignez et guérissez ma mère, et je serai votre apprenti. Quelle que soit la difficulté du travail que vous exigerez, je ne me plaindrai pas, s'il le faut, je ne mangerai que du pain noir... Je travaillerai autant que vous le voudrez. Et vous aurez même ma reconnaissance puisque vous aurez sauvé ma mère. »

Lombard, on s'en doute, n'hésite pas un instant et accepte l'offre d'Augustin Parmentier. Il lui donne la potion et lui demande d'être là le lendemain matin à son poste, ici, dans la pharmacie.

C'est ainsi qu'Augustin Parmentier, en rupture d'école, sauva la vie de sa mère et débuta dans ce qui devait être son véritable métier : celui de pharmacien et de chimiste, qui allait lui permettre de faire des découvertes essentielles pour le destin de l'humanité.

Il passa plusieurs années avec Lombard, travaillant dur, parfois jour et nuit, à la merci des caprices et de l'humeur acariâtre du pharmacien, mais il apprit aussi beaucoup à son contact, tant en ce qui concerne la pratique marchande de la pharmacopée qu'au sujet des éléments de base sur lesquels il put très vite commencer à faire des expériences. Son zèle au travail était évident, sa compétence indiscutable, et sa curiosité toujours en éveil. Lombard, malgré sa mauvaise humeur perpétuelle, ne pouvait qu'être satisfait des services rendus par Augustin Parmentier. Et encore, il ne savait pas tout sur les activités de son apprenti qui se livrait parfois à des expérimentations savantes en son absence.

A la mort de Lombard, Augustin, qui avait eu la douleur, quelques mois auparavant, de perdre sa mère, se mit à réfléchir sur son avenir : à Montdidier, qui était une ancienne ville forte, résidence de plusieurs rois de France au XIIe siècle, il n'y avait guère de place pour quelqu'un comme lui ; les principales activités de la cité étaient en effet artisanales, agricoles ou commerciales. Or, il n'entendait rien à la bonneterie, à la tannerie, à la vannerie, à la filature de coton, ou au commerce de grains et de volailles. Il lui fallait donc partir. Et le seul endroit où il pouvait se rendre, lui semblait-il, c'était à Paris.

Aussi, un beau jour de l'année 1757 — il avait à peine vingt ans — il prit la diligence pour la capitale, afin d'essayer d'y trouver un emploi.

Il n'était pas tout à fait inconnu là-bas, car, d'une part, les pharmaciens chimistes étaient assez rares à l'époque et il avait eu plusieurs fois l'occasion de nouer des liens avec des confrères parisiens plus âgés que lui, et, d'autre part, la manière surprenante dont il avait commencé, très jeune, sa carrière, avait frappé quelques hommes éminents de la profession. Il fut donc très bien accueilli et bientôt on le nomma aide-pharmacien du service de santé de l'armée royale qui était engagée dans la guerre de Hanovre, dite aussi guerre de Sept Ans.

Cette mission périlleuse le combla : il put y manifester ce dévouement et cette compétence qui furent toujours les caractéristiques essentielles de ses activités professionnelles.

Il devait suivre les soldats partout où ils allaient, jusque sous la mitraille, ce qui l'exposait aux coups les plus rudes et un jour on le rapporta aux ambulances, gravement blessé. Par bonheur, sa force et sa vitalité jointes à la qualité des soins qu'on lui prodigua, lui permirent de se rétablir très vite. Il reprit aussitôt du service et redoubla d'ardeur.

Quatre fois il fut capturé par l'ennemi et quatre fois ses supérieurs, qui avaient beaucoup d'estime et de considération pour lui, l'inclurent dans un échange de prisonniers.

C'est alors qu'à nouveau, dans la destinée d'Augustin Parmentier, l'imprévu arriva. Il fut pris une cinquième fois ; mais il ne demanda pas alors à revenir parmi ses compagnons d'armes. Sa passion pour la recherche scientifique fut plus forte que toute autre considération d'ordre militaire ou patriotique.

Ses conditions de vie en Allemagne n'étaient pas trop difficiles et un jour où il étudiait, aux abords du camp, des plantes amylacées, il rencontra un chimiste allemand du nom de Meyer, célèbre à l'époque, qui se livrait à des travaux de recherche similaire aux siens. Ils se prirent de sympathie et bientôt Meyer obtint des autorités militaires allemandes que l'aide-pharmacien Parmentier vînt l'assister dans son laboratoire. Peu à peu, l'habitude fut prise et le savant confirmé prit comme auxiliaire principal, dans ses travaux, le prisonnier français.

Un matin, Augustin qui examinait avec beaucoup d'attention des tubercules qui venaient d'être apportés au professeur Meyer, l'interrogea à leur sujet.

Meyer qui, comme la plupart des Européens cultivés de

l'époque, parlait couramment le français (la langue interna-
tionale alors par excellence), lui répondit que c'étaient des
pommes de terre. Et il précisa que ce fruit avait la particula-
rité de ne pas avoir besoin d'air pour mûrir, mais se nourris-
sait dans la terre. Il précisa aussi qu'il était très peu connu en
Europe.

Parmentier saisit un des tubercules et, après l'avoir essuyé
avec un pan de son habit, mordit résolument dedans.

— Mais que faites-vous, s'écria le chimiste, très surpris.
Savez-vous que ce tubercule sert à l'alimentation des pourceaux ?

— Mais les pourceaux ont le goût bon ! répliqua le jeune
homme. Est-ce qu'ils n'ont pas une prédilection pour les
truffes?

Les deux hommes éclatèrent de rire : et comme
Parmentier exprimait à nouveau son désir de goûter à ce
tubercule, le chimiste allemand y consentit, mais il décida de
faire cuire plusieurs de ces légumes auparavant.

Nos deux chimistes remplirent donc un récipient d'eau, ils
y mirent quelques tubercules et firent cuire le tout sur un
bon feu.

Au bout d'un temps qui leur parut très long, ils virent que
la peau des tubercules s'ouvrait et comprirent que l'opération
de cuisson était terminée.

On dit qu'ils se brûlèrent les doigts dans leur hâte à vérifier la qualité du mets qu'ils avaient préparé. Ils goûtèrent
donc les pommes de terre et déclarèrent qu'elles étaient véritablement excellentes.

Ils comprirent qu'ils venaient conjointement de faire une
découverte fort importante et le soir même Parmentier
annonça à son maître et ami que dès qu'il pourrait regagner
la France, il ferait bénéficier son pays de ce qu'ils avaient
trouvé ensemble.

Mais de retour en France, Augustin Parmentier eut toutes

les peines du monde à convaincre les personnes qu'il rencontrait de l'utilité et du bien-fondé de ses recherches. Les savants, en premier lieu, protestèrent contre ce qu'ils jugeaient être des conclusions hâtives et très prématurées, lorsqu'ils eurent écouté un exposé de leur jeune confrère sur ces fameuses pommes de terre. Certains d'entre eux prétendirent qu'elles donnaient la lèpre.

Parmentier leur expliqua qu'il s'agissait là d'une fausse information et d'un préjugé regrettable. Il leur dit que la pomme de terre était originaire du Chili, en réalité, et que c'était lorsqu'elle avait été importée en Orient qu'elle avait acquis, en raison de la chaleur ambiante, une nocivité qui lui avait donné cette mauvaise réputation. Mais il ajouta que si on la cultivait, selon les règles, en l'enfouissant complètement en terre, on aurait un fruit sain et parfaitement comestible.

— Songez donc ! s'écria-t-il. Nous pourrons ainsi sauver les peuples de la famine !

Mais on l'écoutait avec un certain scepticisme et malgré sa force de conviction et ses connaissances, il ne parvenait pas à donner corps réellement à ses projets.

Il n'avait aucune fortune et il ne possédait pas le moindre coin de terre qui lui eût permis de se livrer aux expériences nécessaires.

Sans renoncer le moins du monde à ce qui lui tenait le plus à cœur, il reprit ses études et obtint après concours le grade d'apothicaire aide-major avec poste à l'hôtel royal des Invalides, où son laboratoire est aujourd'hui encore conservé.

C'est alors qu'il découvre — ô merveille ! — qu'au logement qui lui est affecté, dans l'hôtel des Invalides, est attenant un petit jardin où il pourra cultiver les plantes, les fruits, les légumes qu'il voudra.

Et on raconte que son jardin s'étant bientôt peuplé de petites fleurs blanches jusqu'alors inconnues en France, le roi Louis XVI en personne, au cours d'une visite qu'il rendait à l'hôtel des Invalides, s'enquit auprès du gouverneur de la nature de ces plantes dont il ne connaissait pas l'existence. Ce dernier lui répondit avec une certaine gêne qu'il s'agissait là d'un passe-temps de l'un de ses subordonnés, « d'une folie », celui-ci s'imaginant qu'il pouvait, grâce aux fruits récoltés ainsi, être d'un grand secours pour les pauvres du pays.

Louis XVI avait écouté avec beaucoup d'attention les propos tenus par le gouverneur et leur avait accordé beaucoup plus de sérieux que celui-ci ne le prévoyait.

Peu après, il convoqua Augustin Parmentier, et l'invita à lui parler de ces fameuses « pommes de terre ». Cette fois, Parmentier fut si convaincant que le souverain décida de lui accorder un terrain très vaste, dans la plaine des Sablons, près de Paris, pour pouvoir continuer ses expériences dans de meilleures conditions et sur un espace beaucoup plus grand. Et il lui donna aussi la somme nécessaire pour que soient effectués le défrichement de cette terre et sa culture.

Aussi, l'été suivant, le champ en question se couvrit-il de fleurs de pommes de terre. Tout Paris, naturellement, voulut les voir ; Louis XVI, entouré de toute la cour, se rendit sur place et mit même, dit-on, une fleur à sa boutonnière.

L'entreprise qui avait si mal commencé ou du moins qui avait rencontré au début la défiance, voire la dérision, semblait maintenant très bien engagée. Les tubercules de Parmentier devenaient à la mode. Et le premier plat de pommes de terre fut servi — à tout seigneur tout honneur ! — à la table du roi. Louis XVI et Marie-Antoinette le jugèrent particulièrement savoureux. Et tous les courtisans voulurent suivre leur exemple.

On raconte même qu'Augustin Parmentier fut obligé de faire garder ses champs de pommes de terre pour que des curieux peu scrupuleux ne viennent pas les arracher et les dérober.

Toutefois, les savants de l'époque n'étaient pas, eux, tout à fait convaincus. Ils avaient renoncé à faire valoir leurs premiers arguments selon lesquels la pomme de terre pouvait communiquer des maladies aussi graves que la lèpre, mais ils déclaraient que ce légume n'était bon que cuit à l'eau et que, somme toute, il était fade et sans saveur.

Pour répondre de manière publique et éclatante à cette objection, Parmentier organisa un grand banquet auquel il convia ses détracteurs et il composa le menu de telle manière que l'on ne pouvait déguster que des pommes de terre : potage, purée, croquettes, tous les mets avaient été préparés avec les fameux tubercules qui étaient ainsi accommodés à toutes les sauces. On les mangea, on rit beaucoup, on but, on loua les plats qui avaient été servis et dans l'ensemble, même les esprits chagrins s'avouèrent vaincus. Ce banquet organisé par Augustin Parmentier popularisa réellement la pomme de terre dans notre pays.

En mettant les puissants et les rieurs de son côté, Augustin Parmentier avait véritablement réussi à conquérir ce que nous appellerions aujourd'hui : le grand public.

A dater de ce moment, la culture de cette plante précieuse se répandit non seulement en France, mais dans toute l'Europe.

Cependant, ce serait commettre une grande injustice que de croire que l'œuvre scientifique et humaine d'Augustin Parmentier se limita à cette réalisation.

Faut-il rappeler en effet que pour remédier, par exemple, à la pénurie de sucre de canne, il mit au point la fabrication de sirop de raisin et de végétaux sucrés ; qu'il étudia également l'utilisation des produits laitiers, la conservation des vins et des farines ; qu'il réforma la meunerie et la boulangerie ; qu'il préconisait déjà la réfrigération des viandes ; qu'il fit des travaux sur l'opium et sur l'ergot de seigle ; et que sa carrière militaire ne s'arrêta pas à sa participation à la guerre de

Sept Ans, puisqu'il reprit du service de 1779 à 1781, au cours de la guerre contre l'Angleterre ; que nommé adjoint au conseil de santé, il en fut membre jusqu'à sa mort ; que Bonaparte fera de lui le premier pharmacien des armées, en 1800, puis, l'inspecteur général du service de santé jusqu'à sa mort et que dans l'exercice de ses fonctions, il fera adopter la vaccination antivariolique dans l'armée.

Ajoutons encore qu'il écrivit plus de quatre-vingt-dix ouvrages, de 1773 à 1813 dans lesquels les sujets les plus variés sont abordés et analysés : la pharmacie, naturellement, l'hygiène, l'alimentation, l'agriculture et même les arts...

Bien entendu, Augustin Parmentier demeure pour la plupart d'entre nous, avant tout, le révélateur de cet aliment qui est depuis plus de deux siècles considéré comme indispensable dans la cuisine française — en particulier — et notre récit en est le témoignage bien précis ; mais, nous venons de le voir, ses connaissances et ses travaux furent considérables. Et ce qui constitue leur dénominateur commun, c'est le souci qui habita toujours le découvreur de la pomme de terre, d'améliorer en tout domaine la vie quotidienne des hommes, de remédier à tout ce qui pouvait menacer leur alimentation, leur santé et leur hygiène, autant d'éléments qui représentent, à toutes époques et en tous lieux, la base même de l'existence humaine.

Claude SELLIER et Mathurin HÉMON

L'HISTOIRE DE LA NOURRICE DE LOUIS XIV

Il pourra paraître étonnant au lecteur de voir intégrée dans ce volume consacré à la Picardie l'histoire de la nourrice de Louis XIV, la marquise d'Essertaux, qui se déroula pour l'essentiel dans la région de Saint-Germain-en-Laye ; cependant, il faut savoir que la personne qui a fait connaître les événements savoureux et pittoresques dont ce récit est nourri, était l'abbesse de Biache, la descendante de la marquise, qui, à la fin de sa vie, s'était retirée dans le couvent de l'Hôtel-Dieu de Péronne, et qui se plaisait à évoquer le destin, extraordinaire pour elle, de son aïeule, une paysanne robuste et pleine de santé, qui fut choisie pour allaiter le fils de Louis XIII et d'Anne d'Autriche. A l'époque, en effet, la bonne société de Péronne apprit tous les détails de l'adoption, par les médecins chargés de veiller sur la santé du jeune roi, de la future marquise d'Essertaux comme nourrice en titre du jeune Louis XIV, c'est-à-dire la chronique surprenante d'une véritable ascension sociale.

Le futur roi, qui fut tout d'abord appelé Dieu-Donné, avait été tout de suite considéré par ses parents comme un cadeau miraculeux envoyé par le ciel, après plus de vingt années d'attente et de souhaits indéfiniment exprimés.

Il avait vu le jour en 1638 à Saint-Germain-en-Laye ; il était parfaitement constitué, plein de force et de vitalité, mais il se trouvait doté d'une caractéristique qui se révéla très vite un handicap de taille : il possédait deux dents à sa naissance. On eut donc toutes les peines du monde à lui trouver une nourrice.

Naturellement, la nouvelle de cette naissance avait non seulement provoqué de nombreuses fêtes et réjouissances dans la région — et dans toute la France — mais avait aussi incité de nombreuses jeunes mères des environs à se présenter respectueusement devant les médecins du roi pour offrir leurs services comme nourrice du bébé le plus célèbre de tout le pays. Cependant, à peine le très jeune prince avait-il approché sa bouche avide du sein d'une femme, qu'il la mordait cruellement, jusqu'au sang. On jugea tout d'abord ces incidents mineurs et l'on pensa que peu à peu la succion s'effectuerait normalement. Mais plus on avançait dans le temps et plus les difficultés pour nourrir le jeune prince augmentaient ; malgré les blessures qui avaient été infligées aux premières candidates, le nombre de jeunes femmes qui prétendaient au poste si convoité de nourrice du roi n'avait pas diminué : il en défila donc plusieurs dizaines, mais sans le moindre succès ; à peine étaient-elles arrivées et avaient-elles pris le nourrisson dans leurs bras pour l'allaiter, qu'une exclamation de douleur leur échappait et qu'elles étaient contraintes de s'en séparer.

Le fait aurait pu apparaître plaisant, si d'une part les blessures reçues en cette occasion n'avaient été aussi cruelles et si la santé — voire la survie — du roi n'avait pas été directement menacée.

Le premier médecin de la reine était désespéré : plusieurs dizaines de jeunes femmes s'étaient présentées et elles étaient toutes reparties meurtries et incapables de nourrir le premier enfant de France par le rang et par la gloire. Il réunit tous les médecins qui lui servaient d'assistants et ils envisagèrent ensemble tous les moyens, parfois les plus invraisemblables, pour parvenir à nourrir le futur souverain. Mais toute leur science était impuissante devant cet obstacle que la nature semblait avoir inventé pour les éprouver. « Ne devrait-on pas... arracher... faire disparaître en quelque sorte... les dents en question ? » suggéra (timidement) quelqu'un.

On protesta, on se récria : « Les dents du roi ! Vous n'y pensez pas ! » On émit alors l'opinion qu'une femme, plus solide que les autres, plus résistante, qui se sacrifierait pour le pouvoir royal, donc pour son pays...

Mais la solution n'était pas davantage envisageable, parce que les dents du jeune roi Louis XIV faisaient des plaies profondes qui souvent s'infectaient et outre les conséquences physiologiques désagréables qui en résultaient pour les intéressées, il n'était pas question que le jeune roi pût, lui aussi, être atteint par un mal quelconque, du fait de cette infection.

On avait beau tourner et retourner le problème dans tous les sens, en envisager tous les aspects, essayer de trouver la parade à ce coup du sort, rien n'y faisait et la situation empirait de jour en jour. On en venait maintenant véritablement à craindre pour la santé du roi.

Il fallait trouver une solution, très vite, mais laquelle ?

Un matin, le premier médecin de la reine, épuisé par de longues nuits d'insomnie, se jeta dans un carrosse et donna l'ordre au cocher de le conduire droit devant lui, en direction de la forêt qui se trouvait non loin de Saint-Germain-en-Laye. Il voulait simplement réfléchir et quitter pendant quelques instants le lieu de son infortune.

On a vraiment tout essayé, songeait-il. Les remèdes physiques, médicaux, et même religieux : en effet, la veille, des prières publiques avaient été ordonnées, comme avant la naissance de Louis XIV, alors qu'on désespérait de voir la reine mettre au monde un enfant, et surtout un fils.

Agréablement bercé par le rythme de la course, le médecin se laissait maintenant aller à des rêveries plus vagues et moins inquiétantes, lorsqu'il s'aperçut tout à coup que sa voiture arrivait à Poissy. Assez surpris de se retrouver à cet endroit, il descendit et passa quelques instants dans l'abbaye, puis lorsque son carrosse quitta la petite ville et reprit la route de Saint-Germain, il aperçut sur le bord de la route, et face à une maison couverte de chaume, une robuste paysanne, assise près d'un tas de fumier, en plein soleil, et qui allaitait un nourrisson âgé de quelques mois tout au plus. Le médecin fit arrêter la voiture et en descendit pour examiner cette jeune femme et, malgré son accueil un peu rude, réticent, il réussit à goûter de son lait.

Satisfait par cette dégustation, il proposa à la jeune mère de venir avec lui — et avec son enfant — dans son carrosse et il lui précisa qu'il avait un travail très important et très bien rémunéré à lui confier.

La femme qui entendait peu de chose au langage un peu ampoulé du médecin et qui ne comprenait guère ce qu'il lui voulait, hésitait sur le parti à prendre, à la fois tentée par la proposition et inquiète des suites qu'elle pouvait comporter pour elle et pour son enfant. D'autre part, elle était mariée et son époux était absent ; elle ne pouvait donc ainsi décider de partir...

Le médecin la rassura sur ses intentions, précisa la finalité de sa visite et surtout recommanda à la voisine de la jeune femme de veiller sur le deuxième petit enfant qu'elle avait, en attendant qu'elle fût ramenée dans son logis.

Sans toutes ces précautions, il n'aurait pu réussir à l'emmener, car elle devait, lui dit-elle, porter à souper à son mari qui était retenu prisonnier pour n'avoir pas pu payer sa quote-part de la taille.

Durant le trajet, la jeune femme, qui possédait un caractère expansif, posa de nombreuses questions au médecin à propos de l'endroit où il l'emmenait et du travail qu'il voulait lui confier ; celui-ci lui répondait invariablement qu'elle serait très vite fixée à ce sujet et surtout qu'elle ne devait point s'inquiéter, que tout se passerait le mieux du monde, qu'il lui en donnait sa parole.

Mais il s'émerveillait surtout de la santé resplendissante de cette femme, de sa robustesse, de sa bienveillance à l'égard d'autrui qui transparaissait dans ses propos, et de cette espèce d'élégance qui était la sienne, malgré ses haillons, ses cheveux décoiffés et cette apparence rustique qui la caractérisaient.

Le médecin fut à ce point séduit par la personnalité de la jeune femme, qui se prénommait Jacqueline, qu'il décida de la présenter à la reine, à Saint-Germain, telle qu'il l'avait trouvée, dans son jardin : vigoureuse, sans coiffe ni bonnet, hâlée par le soleil, respirant la franchise et l'honnêteté.

Et tandis qu'elle s'étonnait sur la magnificence des lieux, sur le luxe du mobilier et des décors, sur les toilettes et les livrées des domestiques de la maison royale, tandis qu'elle s'exclamait et ouvrait de grands yeux sur tout ce qui l'entourait, on vint les chercher, le médecin et elle, pour les conduire auprès de la reine. Celle-ci, séduite elle aussi par la gaieté et l'apparence vigoureuse de la dénommée Jacqueline, félicita son médecin d'avoir trouvé une nourrice aussi fraîche et aussi représentative. Ce dernier, après s'être incliné sous ce flot de compliments, déclara que si Jacqueline ne pouvait résister aux « traitements » que lui infligerait le jeune roi, aucune autre ne serait capable de le nourrir convenablement.

La jeune femme, en entendant parler de nourrice, affirma qu'elle ne pourrait s'engager à quoi que ce fût sans avoir au préalable consulté son époux. La reine, émue et ravie par la réaction de Jacqueline, lui promit que rien ne serait décidé sans le consentement de son mari.

Et comme elle apprit que celui-ci était en prison à Poissy,

parce qu'il n'avait pas payé la taille, elle ordonna qu'on le fasse quérir immédiatement et qu'on le ramène chez lui.

On va donc chercher sur-le-champ l'homme qui s'appelle Martin et qui est à la fois surpris et intimidé par cette libération subite, et ce trajet qu'on lui fait faire très rapidement jusqu'à sa maison.

Très vite, cependant, il se sent rassuré et on l'entend murmurer : « Il n'y a rien, il n'y a rien que de bon à espérer de cette heureuse aventure. »

On le ramène donc chez lui, on lui affirme officiellement qu'il est libéré de toute dette à l'égard du pouvoir et qu'il ne lui reste pour le moment qu'à attendre le retour de sa femme qui rend un service inappréciable à des gens de haut rang, habitant Saint-Germain-en-Laye.

Un peu éberlué, le pauvre Martin va et vient de sa chaumière à son jardin, réfléchissant à toute cette aventure et vivant tous ces instants, en homme libre, mais comme dans un rêve.

Pendant ce temps, à Saint-Germain, on apporte l'enfant à sa nouvelle nourrice qui le prend dans ses bras et commence à le câliner, tout en le baisant et en le chatouillant.

Et bien vite, elle lui tend son sein, énorme, bien rebondi, que le nourrisson saisit avec avidité. L'instant est crucial : un grand silence règne dans la pièce où depuis quelques minutes de nombreuses personnes de la cour, ayant appris la nouvelle de la découverte faite par le premier médecin de la reine, se sont groupées et attendent le résultat de l'expérience. Ce n'est pas la première fois qu'ils assistent à ce genre de cérémonie, et l'on raconte que certains courtisans cyniques avaient fait des paris, en la circonstance, sur l'issue de cette nouvelle tentative.

Mais on constate bientôt, et avec soulagement, que le silence n'est troublé que par la succion avide du nourrisson qui semble ne pas pouvoir parvenir à se repaître du lait de sa nourrice. Aucun cri de la part de celle-ci, aucune grimace de douleur, seulement le spectacle touchant d'une donneuse de vie épanouie, souriante, et accomplissant avec la meilleure grâce du monde sa tâche, sans se soucier de la nombreuse et noble assistance.

La reine est aux anges, le médecin s'éponge discrètement le front avec un mouchoir, les femmes présentes dans l'assemblée sourient et on entend des murmures d'approbation courir à travers la petite foule des courtisans.

L'enfant, rassasié, s'endort sur le sein de sa nourrice, qui après l'avoir encore longuement câliné, le remet, toujours endormi, à la dame de compagnie de la reine. Sur quoi elle décide de s'en retourner chez elle, car, dit-elle, son mari doit l'y attendre et il pourrait bien « lui frotter les oreilles ».

Le médecin s'oppose formellement à son départ. Il lui fait comprendre qu'après une telle réussite, qui réjouit le cœur de toute la noble assemblée présente en ce lieu, il n'est pas question qu'elle s'en aille ; il lui faut demeurer dans cette maison pour accomplir sa tâche quotidiennement.

Comme elle ne l'entend pas de cette oreille, qu'elle proteste, qu'elle dit vouloir retourner chez elle pour prendre des nouvelles de son mari, de « son Martin », le médecin insiste : il lui dit qu'il y va de la santé, de la vie même de l'enfant. Il flatte son orgueil : il lui montre qu'elle a réussi là où toutes les autres avant elle avaient échoué. Il lui décrit tous les avantages matériels qu'elle va retirer de la mission qu'on va lui confier.

Elle comprend, elle consent, mais elle répète qu'elle est très inquiète pour « son pauvre Martin » qui est seul, dans sa maison, avec son enfant, et bien qu'on lui ait donné toutes les assurances possibles quant à l'avenir de son mari et à l'exemption de tout châtiment à propos de la taille qu'il n'avait pas réglée, elle demeure anxieuse, prise entre son désir de rendre service à ces gens « si honnêtes », qui l'entourent et ses devoirs de femme et de mère.

Voyant cela, une dame de la cour s'offre pour aller chez elle, les jours suivants, et y allaiter son enfant ; Jacqueline la nourrice accepte avec joie et la dame en question se sent très honorée d'allaiter le fils de la nourrice du dauphin. Jacqueline ne sait toujours pas qu'elle est à la cour et que les gens qui l'entourent sont les premiers personnages du royaume. On lui apporte à dîner avec cérémonie et on lui dit que sa seule tâche, à l'avenir, sera de refaire ce qu'elle a si bien fait le jour même. Et comme elle s'impatiente un peu de tout ce protocole qui lui est par la force des choses imposé — nombreux domestiques pour la servir, plats recherchés, vaisselle précieuse, courbettes, formules de politesse... — la reine, informée de cette irritation passagère, ordonne qu'on la serve comme elle le souhaite et qu'on lui donne ses aliments préférés.

Elle reste ainsi plusieurs jours dans ces lieux somptueux, choyée par tous, très entourée, avec toute une domesticité qui veille sur ses moindres désirs, elle-même prodiguant tous ses soins au nourrisson royal, comblée matériellement au-delà de tout ce qu'elle aurait jamais pu espérer, mais, au fond, un peu inquiète, malgré tout, et désorientée.

Et un jour, comme on la voit moins gaie que d'habitude, presque triste, abattue, on la questionne sur la raison de son attitude ; elle répond, tout à trac, avec cette franchise qui la caractérise, qu'elle se languit de sa maison, de son mari et de son enfant qui l'attendent là-bas. On lui promet alors qu'une entrevue sera ménagée très prochainement entre elle et son époux. Mais le premier médecin de la reine l'avertit que, pour des raisons qu'elle peut comprendre aisément, il lui sera interdit de rencontrer véritablement son époux ; elle ne pourra lui parler que séparée de lui par une cloison. Fort chagrinée à la pensée qu'il lui faudra encore attendre avant de pouvoir se jeter dans les bras de son époux, et qu'elle devra communiquer avec lui de cette manière, Jacqueline la nourrice accepte cependant.

Un soir, on introduit son mari dans une chambre contiguë à la sienne. Elle peut donc lui parler tout à loisir, mais sans le voir ni le toucher. Leur conversation qui dura quelques minutes, émut et divertit tour à tour, dans sa spontanéité, la reine et quelques personnes de son entourage très proche, qui écoutaient d'un cabinet voisin : Jacqueline ignorait encore où elle se trouvait réellement et elle exprimait avec sa bonhomie et sa crudité habituelles son étonnement et son admiration pour les gens et les choses qui l'entouraient. Et son mari renchérissait, avec de grandes exclamations de surprise et avec, quelquefois, lui aussi, un soupçon d'inquiétude quant à cette nouvelle vie qui était la leur. Il lui confirma qu'il n'était plus en prison, mais qu'il s'ennuyait fort dans sa chaumière avec leur enfant qu'une « belle dame » venait allaiter quotidiennement.

Leur dialogue fut soudain interrompu par les cris du jeune dauphin qui manifestait ainsi sa faim et son désir pressant de voir sa nourrice. Martin quitta donc les lieux, partagé entre l'appréhension qu'il éprouvait devant cette situation tout à fait inédite pour lui et le contentement qu'il ressentait après avoir écouté sa femme et ses propos rassurants.

Comme la reine lui avait fait cadeau de cent louis, il s'en revint chez lui, avec ses pièces sonnantes et trébuchantes dont il connaissait mal l'utilisation, car il faut dire, qu'il n'en avait encore jamais vu de pareilles. Ce furent ses voisins qui lui apprirent qu'il s'agissait bel et bien de pièces d'or et que sa femme Jacqueline était en réalité la nourrice du dauphin.

Elle apprit bientôt, elle aussi, quelle était sa situation exacte. Et peu de temps après, le prévôt des marchands et les échevins de la ville de Paris qui avaient su que le jeune dauphin avait enfin une nourrice donnant toute satisfaction, adressèrent, selon la coutume, une lettre de félicitations au roi et à la reine et firent présent à Jacqueline et à son mari de six mille louis d'or.

Martin et sa femme comprirent alors qu'en très peu de temps leur vie avait changé du tout au tout et que désormais leur avenir était matériellement assuré. Ils purent un peu plus tard acheter une très belle terre qui fut érigée en marquisat.

Telle fut l'histoire de la belle et bonne Jacqueline, épouse de Martin, nourrice du futur roi Louis XIV, qui devint très vite Mme la marquise d'Essertaux.

Il est vrai que ce récit — authentique — ressemble fort à un conte de fées, mais il nous rappelle (pourquoi le nier ?) que le bonheur existe et que parfois la vertu et l'honnêteté sont récompensées.

Claude SELLIER et Mathurin HÉMON

LE RÊVE D'HUGUES CAPET

Les grands hommes rêvent, comme le commun des mortels, et leur histoire, déjà fort riche en péripéties, est souvent racontée comme une véritable épopée ; tout se passe parfois, surtout dans les siècles révolus, comme si leurs moindres actes avaient besoin d'être imprégnés d'un parfum épique, d'une signification véritablement héroïque, pour justifier l'importance réelle, ou prétendue telle, de leur destinée historique.

Nous retrouvons ces deux aspects dans cette anecdote née de l'imagination d'un chroniqueur prolifique, qui nous paraît être l'habillage mythique d'une réalité lointaine : l'avènement d'Hugues Capet.

A l'époque, Hugues de France, fils de Hugues le Grand, s'était fait proclamer roi après la mort de Louis V (auprès d'une assemblée de ses vassaux qui s'était tenue à Noyon) au détriment de Charles, duc de Basse-Lorraine et oncle du feu roi.

Après avoir choisi Paris comme résidence et associé son fils Robert à la royauté, Hugues de France fit tout d'abord de nombreuses concessions au clergé, pour se le concilier et ensuite décida de marcher contre son rival direct Charles de Lorraine, qui, lui, avait été proclamé roi de Laon.

C'est au cours de sa campagne contre Charles qu'il lui arriva, à la suite d'une rude bataille, de s'endormir parmi ses soldats, dans une grotte, et, nous dit-on, de faire le rêve suivant : deux personnages lui étaient apparus subitement et il lui semblait qu'ils le regardaient d'un air suppliant. Le premier lui dit qu'il était de Saint-Valéry et qu'il était descendu dans sa tombe deux cent dix-sept ans plus tôt ; mais il ajouta avec tristesse que son corps et celui de saint Riquier, présent à ses côtés, avaient été arrachés à leurs tombes et qu'ils étaient maintenant prisonniers dans une terre étrangère.

En effet, précisa-t-il, autrefois, Arnould, dit le Pieux, qui avait la passion des reliques et qui s'en emparait dès qu'il le pouvait, avait, grâce à la complicité d'un clerc, pris d'assaut la ville de Saint-Valéry, passé ses habitants par les armes, envahi le monastère et dérobé les reliques qui s'y trouvaient, c'est-à-dire le corps de l'abbé lui-même et de son compagnon Riquier.

Ensuite, deux siècles avaient passé et le monastère dépouillé de ce qui constituait son élément le plus précieux, avait perdu tout son rayonnement et une grande partie de son activité.

Aujourd'hui, ajouta l'abbé, il fallait que ces reliques réintègrent les lieux où l'abbé et son compagnon avaient vécu. La région tout entière avait besoin de cette restitution, pour retrouver sa prospérité de jadis.

Si Hugues accomplissait lui-même cet acte de rédemption, humaine et divine, il pouvait l'assurer non seulement que lui-même serait confirmé dans son rôle de roi, mais que ses descendants porteraient la couronne pendant plus de sept siècles.

Et (sans doute) comme Hugues manifestait plus ou moins son incrédulité, il conclut en lui disant d'aller jusqu'à

Montreuil, ville sous la domination du comte de Flandre (Arnould le Pieux), de lui demander la restitution des reliques et de s'emparer de la ville, s'il les lui refusait. Ensuite, il pourrait leur redonner leur place légitime et il connaîtrait dans l'avenir le succès dans toutes ses entreprises.

Hugues se réveilla un peu courbatu et endolori d'avoir dormi sur le sol de cette grotte, au milieu de ses soldats, et ragaillardi par son rêve, il suivit les conseils de saint Valéry. Il fit parvenir au comte Arnould un message dans lequel il lui réclamait les corps de saint Valéry et de saint Riquier et comme Arnould le Pieux lui refusait, il rassembla tous les hommes dont il disposait et il se prépara à donner l'assaut à la ville. Arnould le Pieux, terrorisé, dit-on, par la puissance et la détermination des soldats qui se préparaient à assiéger la ville, envoya des légats auprès d'Hugues et lui assura que les deux corps lui seraient restitués.

Par la suite, lorsque Hugues de France devint le roi Hugues Capet, il entreprit de restaurer l'abbaye de Saint-Valéry telle qu'elle avait été lors de sa splendeur. Il y envoya de nombreux religieux, en particulier ceux de Saint-Lucien de Beauvais, et les confia à l'autorité sage et éclairée de l'abbé Restoulde qui réorganisa l'abbaye tout entière et y fit appliquer la règle originelle de saint Blimont.

Ainsi, les deux fantômes que le roi Hugues avait rencontrés dans son rêve s'étaient révélés des auxiliaires efficaces et bénéfiques, et il fallait bien des messagers aussi extraordinaires, des chantres d'une réalité surnaturelle, féerique, pour annoncer et favoriser la grande dynastie d'Hugues Capet qui devait régner pendant plusieurs siècles sur notre pays.

Claude SELLIER et Mathurin HÉMON

LE LOUP ET LES DEUX CORNEILLES

Ce soir, la lune est cachée et les loups n'ont plus que leurs yeux pour pleurer car la neige est tombée sur la campagne, cloîtrant au fond des terriers et tanières les espèces dont ils font de coutume leur pitance.

Les loups hurlent et la plume grinçante du barde court sur le parchemin blanc. Elle court pour conter, raconter, elle court et tâche, la pauvrette, de rattraper la pensée.

Il fait froid, beau sire barde, la Picardie se recroqueville et s'acagnarde comme une vieillotte sous l'avaloire de la cheminée. Beau sire tu bavardes avec l'encre et la plume de l'oie, celle qui tourne avec la broche au-dessus de l'âtre, celle qui ruisselle sous les louchées de sauce que le marmiton verse en rêvant à autre chose sur la peau chair-de-poule de l'animal supplicié.

Le barde écrit et se souvient.

Ce soir-là deux corneilles qui nichent à Arguel ont choisi de dormir dans le plus vieux chêne de la motte féodale qui surplombe le Liger. Ils ont six ou sept lustres ces corbeaux et le barde pour tout l'or du Vimeu n'en voudrait pas à la place du volatile qui tournicote pour l'heure, empalé au-dessus de la flamme des bûches de pommier.

Soudain, au pied du rouvre aussi gros que celui qui pousse non loin de la Pierre Bise en forêt d'Eu, nos deux compères voient s'arrêter un homme. De la ramure on n'aperçoit du maraud qu'un crâne chenu et deux épaules grêles. Il tient à la main un luth, à moins que cela ne soit quelque autre instrument de trouvère, les corneilles ne sont pas très fixées. En fait de musique elles ne connaissent que les deux sempiternelles notes qui s'échappent de leur gargante enrouée lorsqu'elles veulent clamer leur joie ou leur tristesse. Le gaviot de ces bestioles n'a rien de commun avec le gosier des colombes. Il convient mieux aux « Bas-champs », aux hayures, aux ruines des moustiers du Tréport ou de Saint-Wary, à celles des castels de Froideville ou d'Oust.

L'homme s'affale au pied de l'arbre et gémit.

Même une corneille peut sentir son cœur se fendre lorsqu'un homme geint. Les deux têtes noires embecquées regardent la forme humaine qui défaille et écoutent les pauvres sons sortant de sa bouche. Mais elles ne sont pas les seules à les entendre. Elles perçoivent un piétinement léger dans la neige et bientôt paraît l'échine hérissée d'un vieux loup sorti des fables, d'un loup dont la horde ne veut plus, d'un loup que son instinct attire quand le malheur paraît. Chacun en ce bas monde assume la tâche que le Créateur lui a assignée : le loup mangera l'homme sans défense. Les deux corneilles connaissent la vie car la vie d'une corneille est longue comme les jours sans pain de l'hiver picard. Il s'avance et l'homme se raidit, impuissant, résigné, fixant désespérément les yeux en amande et la crinière grise de l'Isengrin affamé. Ce sera court. Les crocs s'enfonceront dans la gorge du barde et le sang giclera sur les babines lupestres et le râle de l'homme répondra au grognement de la bête. Mais les corneilles ne l'entendent pas ainsi. Les corneilles décident de contrarier le cours inéluctable des choses. Elles s'ébrouent, s'entre-regardent et tombent à la verticale comme deux galets de Cayeux sur le loup prêt à bondir.

Que peuvent faire des volatiles contre un quadrupède décidé à tuer ? Que peuvent faire ces deux petites paires d'ailes et ces deux petits becs dans le soir glacial contre les mâchoires d'un loup même vieux ? Les corneilles le savent bien. Les deux becs jaunes ont choisi chacun sa proie, l'une la prunelle de gauche, l'autre la prunelle de droite.

Et l'on entend alors un hurlement terrible sous la lune, dans le vent qui se lève, un hurlement que l'on entend de Lanchères, de Maison-Ponthieu même. Un hurlement lancinant, pitoyable. Et le loup s'enfuit, aveuglé, sanguinolant, se heurtant aux troncs des chênes, aux branches basses des hêtres, se déchirant aux ronces. Et l'homme regarde le ciel et remercie son Dieu...

Jacques GUIGNET

BIBLIOGRAPHIE

Les Flandres

Certaines de ces légendes proviennent de la tradition orale et des histoires attachées à des monuments anciens. Elles ont simplement fait l'objet d'une œuvre littéraire dans le cadre du présent ouvrage.

Les autres sources sont :

Contes flamands, H. Verly, Lille, 1887.

Le basileus, Éric Vanneufville (non publié).

Le lecteur intéressé pourra découvrir d'autres histoires dans : *Contes et légendes de Flandres*, A. de Lauwereyns de Roosendaele, Paris, 1968.

La Picardie

Littérature orale de Picardie, Henry Carnoy, 1883.

La Picardie, Claude Sellier et Mathurin Hémon, collection « Histoire mystérieuse et insolite des régions de France », éditions Bérénice Micberth, 1993.

Gens de Picardie, anthologie réalisée par Henri Heinemann et Georges Toman, L'Amitié par le livre.

« Les contes de Ponthieu aux croisades », Chantal de Tourtier, *Bulletins de la société des antiquaires de Picardie*, 1959-1960.

Le Pays de Montreuil, Roger Rodière.

Le Roman d'Eustache le Moine, XIIe siècle, auteur inconnu.

Histoire illustrée des pirates et corsaires, Jules Trousset.

Histoire de Berck, Paul Billaudaz.

Histoire de Berck, Léonie Duplais.

Berck, jadis et naguère, Jean-Baptiste Rivet.

Remarques sur les antiquités de la ville d'Étaples, Dom Grenier (manuscrit de la bibliothèque municipale de Boulogne-sur-Mer).

Archives de la paroisse Saint-Michel d'Étaples (Archives départementales du Pas-de-Calais).

TABLE DES MATIÈRES

Les Flandres

LA LÉGENDE DES TROIS VIERGES DE CAESTRE, d'Eric Vanneufville 11

LE REUSE, de H. Verly 15

LE BASILEUS, d'Éric Vanneufville 25

LE BÂTON DE SAINT WINOC, de H. Verly 41

LE BARON DE RAGE, de H. Verly 53

UNE HISTOIRE D'OREILLES, de Dieudonné Copin 65

LE MEUNIER ET L'ANNEAU, de Dieudonné Copin 71

UNE HISTOIRE DE SAVATES, de Dieudonné Copin 75

L'ARBRE DE LA LIBERTÉ, de Dieudonné Copin 95

LA BRASSERIE DE LA TULIPE, de H. Verly 107

LE CANONISÉ MALGRÉ LUI, de H. Verly 117

LA CHAPELLE À SAINT GANGOEN..., de Dieudonné Copin
  et Éric Vanneufville 125

L'HISTOIRE (PRESQUE) AUTHENTIQUE ET
VÉRIDIQUE DE « PAET'JE POORT », d'Éric Vanneufville 133

LE NOËL DU PÈRE, d'Éric Vanneufville 139

La Picardie

LA LÉGENDE D'ADÈLE DE PONTHIEU, de Chantal de Tourtier-Bonazzi 147

LA DAME EN LA MER, de Jean-Olivier Signoret 153

LE CRUCIFIÉ DES FLOTS, de Jean-Olivier Signoret 167

EUSTACHE LE MOINE, LE PIRATE MAGICIEN ET LE VAISSEAU FANTÔME, de
    Jean-Christophe Macquet.. 179

LA LÉGENDE DU DIPTYQUE DE SAINT-JACQUES DE COMPOSTELLE, de Pierre
    Baudelicque..
185

LA TRAGIQUE HISTOIRE DE LA STATUE DE NOTRE-DAME DE FOY, de Pierre
    Baudelicque.. 189

MARIANNE TOUTE SEULE, FONDATRICE DE BERCK-PLAGE, de Jean-
    Christophe Macquet... 195

L'ÉTONNANT MONSIEUR PARMENTIER, de Claude Sellier et Mathurin Hémon   199

L'HISTOIRE DE LA NOURRICE DE LOUIS XIV, de Claude Sellier et Mathurin
    Hémon 209

LE RÊVE DE HUGUES CAPET, de Claude Sellier et Mathurin Hémon 219

LE LOUP ET LES DEUX CORNEILLES, de Jacques Guignet 223

Bibliographie.. 227

Photocomposition et photogravure:
GRAPHIC HAINAUT S.A.
59690 Vieux-Condé

Achevé d'imprimer le 24 août 1995
dans les ateliers de Normandie Roto Impression s.a.
61250 Lonrai

N° d'impression : I5-1491
Dépôt légal : septembre 1995